WIS

Terugbe

Kıskaç

Bir İmparatorluğun Sancılı Yılları

KISKAÇ
Bir İmparatorluğun Sancılı Yılları

Yazan: Ayşe Çolakoğlu

Yayın hakları: © Doğan Egmont Yayıncılık ve Yapımcılık Tic. A.Ş.

1. baskı / aralık 2007 / ISBN 978-975-991-544-5

Kapak tasarımı: Yavuz Korkut
Baskı: Mega Basım, Çobançeşme Mah.
Kalender Sok. No: 9 Yenibosna - İSTANBUL

Doğan Egmont Yayıncılık ve Yapımcılık Tic. A.Ş.
19 Mayıs Cad. Golden Plaza No. 1 Kat 10, 34360 Şişli - İSTANBUL
Tel. (212) 246 52 07 / 542 Faks (212) 246 44 44
www.dogankitap.com.tr / editor@dogankitap.com.tr / satis@dogankitap.com.tr

Kıskaç

Bir İmparatorluğun Sancılı Yılları

Ayşe Çolakoğlu

afgeschreven

DK DOĞAN KİTAP

Bertil'e...

İstanbul, 1884

Sarı uzun saçları yüzüne gözüne yapışmıştı. Ter içindeydi. Cennet'in eline tırnaklarını geçirecek kadar sıkı sıkıya yapıştı. Sadece dudaklarını kıpırdatarak "Oğlum nerede, oğlum nerede?" diye fısıldadı.

"Dur hanımım, çocuğu merak etme, sen kendine bak. Anamgil yanında, mışıl mışıl uyuyor."

"Dayanamıyorum, dayanamıyorum" diye inledi. Rengi uçmuş, dudakları sıkmaktan bembeyaz olmuştu. Belli belirsiz burnundan nefes alıyordu.

Cennet, "Sen var ya, öbür odada kendinden geçivermiştin, seni sırtladım buraya yatırdım. Bey şey işte..." diye fısıldadı.

Aslı'nın sancıları Ali Bedri'yi doğurduğu seferden daha beterdi. Her beş dakikada bir içi dışına çıkar gibi kan boşalıyordu. Artık çocuğu kaybettiğini anlamıştı. Hem çocuğu kaybediyordu, hem de Canip Bey'le arasındaki bağ, Cennet'in divan lekelenmesin diye altına serdiği kat kat çarşaflarda eriyip gidiyordu. İçinden ölen kocasıyla konuşuyor, böylece bilincini kaybetmemeye çalışıyordu. Yavaş yavaş gün ağardı, Aslı'nın sancıları da durdu ama içi yara gibi yanıyor, hareket etmeye çalıştığında bütün organları adeta boşluktaymış gibi sallanıyordu.

Hanımından sadece birkaç yaş genç olan Cennet bir an bile olsun Aslı'nın yanı başından ayrılmadı. Aslı bir ara uykuya daldı da mı uyandı yoksa hep uyanık mıydı bilinmez, birisi dürtmüş gibi birden doğruldu. "Cennet, kalkmam lazım. Çabuk bana yardım et, benim kalkmam, ortalığa bakmam lazım. Bana temiz bir şeyler getir. Yapış yapışım. Çabuk ol, hadi" diye söylenmeye başladı. Cennet şaşkın şaşkın Aslı'nın yüzüne baktı. Hiç ses çıkarmadan gözlerini ovuşturarak odadan çıktı, biraz sonra elinde ibrik ve leğenle döndü. Aslı'nın vücudunu ıslak bezle ovalaya ovalaya bir güzel sildi. Temiz çamaşırlar giydirdi. Sonra yatak odasından Aslı'nın durumuna uygun koyu renk bir esvap getirdi. Güçlükle ayakta durabilmesine rağmen vücuduna değen temiz çamaşırlar tenine merhem gibi gelmişti. Dik durmaya çalışıyordu, tırabzanlara sıkı sıkıya tutunup merdivenleri inmeye başladı. Komşuların ve ev ahalisinin sesleri yukarıya kadar geliyordu.

Heybeli

Elli yaşının baharındaki dul Canip Bey müstakbel karısına bir bahar akşamı değil ama güzel bir yaz sabahı Aslıların Heybeliada'daki köşklerinin bahçesinde rastladı.

O sabah vapurdan ininince Canip Bey faytona binmek yerine yürümeye karar verdi. Erkenden Sirkeci'ye indiğinde, şehir puslu ve sıcaktı. Sanki kaldırımlar yarım saat daha geçse terlemeye başlayacaklardı. Ama ada öyle miydi ki! Ciğerlerini mis gibi havayla doldurdu, yokuş yukarı yürümeye başladı. Ara sıra durup dinleniyor, manzaranın güzelliğini içine sindiriyordu. Tırmandıkça deniz manzarası bütün ihtişamıyla gözlerinin önüne seriliyordu. Fark etmeden kendini Kemal Beylerin demir kapısının önünde buldu. Bahçede çocuk sesleri çınlıyordu. Şehzadebaşı'ndaki evlerinde arkadaşıyla hep selamlıkta buluştukları için Kemal Bey'in çocukları olduğunun bile farkında değildi. Deniz havasının iyi geleceğini bildiği için Heybeliada'ya davet edilince ikiletmeden kabul edivermişti. Bahçedeki çocuklar kapıyı açtığını fark etmemişlerdi bile. Körebe oynuyorlardı. Beş-altı yaşındaki gözleri bağlı sarışın erkek çocuğu, kendi yaşında, ona ikiz gibi benzeyen bir küçük kızı ve yeni yetme bir genç kızı kovalıyor, bir taraftan da avazı çıktığı kadar, "Aslı Abla, hep ben ebe olmak istemiyorum, çıkar şunu gözümden" diye haykırıyordu.

Aslı küçük çocuğa parmağını dudağına değdirerek sus işareti yaptı. Genç kızda Canip Bey'in gözünü alan bambaşka bir şey vardı. Başını çocuklardan ayırmadan kapıya yaklaştı ve zili çevirdi. Rahmetli karısı evlendiği günden itibaren hep nazlı ve hastalıklı olmasaydı, belki onun da çocuğu olurdu. Belki de Kemal Bey'in çocuklarından bile büyük çocukları olurdu. "Kısmet" diye düşündü.

Canip Bey vekâletteki işinde bütün gün oyalanır, akşamları ise arkadaşlarıyla tavla oynayarak vakit geçirirdi. Ama akşamın bir saatinde arkadaşları, o saat neyse, kösteklerini ceplerinden çıkartır, hep bir ağızdan "Vay be kardeşim saati kaç etmişiz, hadi bana müsaade" demeye başlarlardı. İşte o anda yalnızlığı bütün bütün içine çöker, evinin yolunu tutardı. Evde ise emektar Emine suratsız suratsız kapıda karşılar, hiç konuşmadan bir fincan ıhlamuru komodinin üzerine bırakır, kapıyı kapatıp odasına çekilirdi.

Herkes tekrar evlenmesi gerektiğini savunuyordu. Ama Canip Bey'in pek o taraklarda bezi yoktu. İlk evliliğinden aradığını hiç mi hiç bulamamıştı. Bir defa daha evlenmiş olmak için evlenmek ona pek cazip gelmiyordu.

Heybeli'deki o sabah Canip içinde ilk gençliğindeki heyecanlara benzeyen tuhaf hisler duymaya başladı. O gün Kemal Bey Canip'i kapıda karşıladıktan sonra koluna girip tekrar bahçeye götürdü. Birlikte ağaçların altındaki kanepeye oturdular. Aslı'ya gözü her takıldığında Canip'in yanakları pembeleşmeye, aklından garip şeyler geçirdiği için utanmaya başladı. Yaşını başını almış, bu mevkilere gelmiş bir adama hiç yakışmayan düşünceler kafasında birbirini kovalıyordu. Kızcağız olsa olsa on beş-on altı yaşındaydı. Ama başı kraliçeler gibi dimdik, bakışları tebaasını teftiş eder gibi hükmediciydi. Anası yaşındaki kadınlardan daha olgun, daha kadınsı duruyordu.

Sabah kahvesini getirdiğinde Aslı'nın saçları adeta maviye boyanmış gibi duruyor, akşamüzeri ise kızıla çalıyordu. Güneş ışıkları parlak sarı saçlarını değişik renklere büründürüyordu. Çıkık elmacık kemikleri, etrafını umursamaz bir hava veriyordu genç kıza. Uzun bacaklarıyla o hiç kırıtmadan yürüyüşü, bol keten gömleğinin gizlediği küçük göğüslerinin varlığı, Canip'in belkemiğinden aşağı doğru ürpertiler sardırıyordu. Bu saplantıdan, tutkudan kurtulması gerektiğini çok iyi biliyordu. Eve döndüğünde aynada dökülmeye başlayan saçlarına, erken ağaran sakalına bir de gitgide kalınlaşan vücuduna bakıp ümitsizliğe kapılıyor, "babası gibi adamı bu güzel yavrucak ne yapsın ki" diye düşünüp neredeyse gözyaşları içinde kendini soğuk, yalnız yatağına bırakıyordu. Sabahlara kadar gözüne uyku girmiyordu.

Canip Bey bütün yazı kendini suçlayarak, kendi kendinden utanıp büsbütün içine kapanarak geçirdi. Hiçbir şeyden zevk alamıyor, yediği içtiği bile ağzında büyüyor, zorla yutkunuyordu. Bu sırada İstanbullular yavaş yavaş yazlıklarından dönüyor, hummalı bir faaliyetle odunlarını kömürlerini alıyor, yaz başı silinip toplanan halıları tekrar yerlerine seriyor, yaz güneşinde pişirdikleri reçellerini bir bir kilerlerine yerleştiriyorlardı. Kemal Beylerin evi de sonbahar başındaki bu tatlı telaş içindeydi. Bu mevsim değişikliklerinin hiçbiri Canip Bey'i etkilemiyordu. Huzursuzdu, uykusuzluktan bitkindi. Dayanamayıp Kemal Bey'in Heybeliada'daki terk edilmiş köşküne gitti.

Eylül sonu olmasına rağmen hava yaz gibi sıcaktı. Bu sefer manzaraya bile bakmadan hızla yokuşu tırmandı. Birden göğsü daralır gibi oldu. Bahçe kapısını iki eliyle itti. Adaya ilk geldiğinde Kemal Bey'le oturdukları banka doğru kendini attı. Alnında terler birikmişti. Yapacak başka şey kalmamıştı. Kararını verdi. Ya bu çocuk-kadın her neyse, karısı olacak ya da bu anlamsız hayatı terk edecekti. Vapur saatini sabırsızlıkla bekledi. Artık yerinde duramıyor, sarma sigaralarını ısıra ısıra, ciğerinin taa dibine kadar çekerek içiyordu. Vapur Eminönü' ne tam yanaşmadan iskeleye atladı. Önüne ilk çıkan arabayı durdurdu ve Kemal Bey'in adresini verdi. Arabacıdan paranın üstünü dahi almadan adeta uçarak kapıya vardı. Kemal Bey Canip'i görünce biraz şaşırsa bile belli etmeden hemen içeri buyur etti. İçinden de "Hayırdır inşallah" diye geçirdi. Bu ağırbaşlı adam birkaç gün öncesinden haber vermeksizin ziyaretine hiç gelmemişti.

Canip bütün nezaket kurallarını bir tarafa bırakıp hemen konuya girerek konuşmaya başladı.

"Kemal Bey, böyle habersiz, ansızın rahatsız ettiğim için ne olur kusuruma bakmayın. Ama inanın çok önemli bir şey için geldim. Yani benim için çok önemli. Yani hayatımın en önemli kararını aldım demek istiyorum. Bizim sizinle eski hukukumuz var, onun için başkasının ağzından duyun istemedim. Aracı koymak olmazdı şimdi. Biliyorum, biliyorum, hayret edeceksiniz. Ama n'olur hemen kesip atmayın. Niyetim son derece ciddi. Bendeniz muhterem kızınız Aslı Hanımefendi'nin dest-i izdivacına talibim." İşte kelimeler birbirinin ardından çabucak ağzından fırlamıştı. Tekrar ağzına sokamazdı. Hiçbir şey olmamış gibi kaçıp evine sığınamazdı. Adeta çırılçıplak ortada kalmış gibi kendini çaresiz hissetti.

Kemal Bey'in ağzı açık kaldı. Hayretle Canip'in yüzüne baktı ama bir şey söyleyemedi. Artık ok yaydan fırladığı için olan oldu dedi kendi kendine Canip ve birisi lafını keser de şaşırırmış gibi nefes nefese sözlerine devam etti.

"Neler düşündüğünüzü tahmin ediyorum. Ama ne olur beni anlayın. Eğer müsaadeniz olursa onu dünyanın en mutlu insanı yapmaya çalışacağım. Sizi şerefim üzerine temin ederim. Allah şahidimdir, hiçbir şeyini eksik etmem, baba evinde gördüğü rahatını devam ettiririm. Hele Allah bir de evlat nasip ederse. Tabii ben hanımefendiden çok büyüğüm ama yine de onu el üstünde tutarım." Canip bir taraftan da alnında boncuk boncuk biriken terleri cebinden çıkardığı keten mendille kurulamaya çalışıyordu.

Aslı'nın babası Canip'e hâlâ hayretle bakıyor, kızsın mı acısın mı bilemiyordu. Kendini toplayıp "Canip Bey, önce otursanız" diyebildi.

İkisi de sessiz, birbirlerinin yüzüne bakamadan karşılıklı bir süre oturdular. Kemal Bey kısık bir sesle "Daha on yedisini bile bitirmedi" diye fısıldadı. Gerçi kendi karısı da o yaşlarda evlenmişti Kemal Bey'le, ama en azından yaşları birbirine uygundu. Hem Aslı'yı, ilk göz ağrısını, evinin neşesini bu koskoca adamla bir ömür tüketmeye nasıl mahkûm edebilirdi? Canip, beyefendi adamdı. Varlıklıydı. Kırmadan vazgeçirmeyi denemek en doğrusu olacaktı.

"Canip Bey, ben izin versem kızın rızasını almak gerekir. Biliyorsunuz, o henüz çocuk. Hâlâ kardeşleriyle sabahtan akşama kadar bebek oynar, konağın içinde koşturur durur. Size uygun bir eş olamaz ki... Elinden hiçbir iş gelmez. Yumurta bile kırmayı bilmez."

Canip yine ayağa fırladı. "Biliyorum efendim, dediklerim hiç de beklediğiniz bir şey değildi ama affedin beni. Ben ne size ne de muhterem ailenize karşı bir saygısızlık yapmayı aklımın ucundan geçirebilirim. Ama bana bir konuda söz verin. Ne olur bir kere düşünün. Hanımefendinin bir fikrini alın. Ben zaten onu sizin evinizden kopartıp almayacağım ki, evlerimiz yakın, sizler buyurursunuz, o sizin ziyaretinize gelir. Benim evim sizin eviniz demek. Tabii ben de onunla birlikte gelirim. Kapınızı bana sıkı sıkı kapatmayın, lütfen bir kere de ona sorun. Yalvarırım."

Kemal Bey bir cevap veremedi ama Canip'i kapıya kadar geçirdi. Koskoca adam karşısında çocuk gibi yalvarıyordu. Biraz da onun hesabına utandı. En iyisi bu garip olayı karısına açmalı, birlikte bir şekilde kurtuluş yolunu bulmalıydılar.

Canip bütün gece sokaklarda başıboş dolaştı. Sonunda eve geldiğinde Emine'yi kapının dibinde bir sandalyenin üstünde uyuklar buldu. Canip Bey'in geceyi dışarıda geçirme huyu olmadığını bilen Emine meraktan kahrolmuştu ama yine de beyefendiye bir şey soramadan terliklerini sürükleye sürükleye odasına gitti. Canip ise üstünü değiştirmeye bile gerek duymadan yatağının üzerine yıkıldı ve sızdı.

Bir süre sonra hikâyenin kahramanlarını tanıyanları çok şaşırtan bir olay gerçekleşti. Güzelim Aslı kendinden tam otuz üç yaş büyük Canip Bey'le kurban bayramının dördüncü günü, evlenme teklifinden tam altı ay sonra görkemli bir düğünle evleniverdi.

Rabia'nın kitabı

Düğünden sonra herkes kafasına göre bir şeyler söylemeye başladı. Kimi "Gelin pek güzel ama adama göre çok genç" diye hayıflandı, kimi "Canip Bey zengin olmasa hiç Kemal Bey kızını verir miydi?" dedi, kimi ise "Evlilikte keramet vardır. Allah mesut etsin" diye kestirip attı. Ama bu evliliğe karşı çıkan iki kadın zehirlerini içlerine akıtmaya devam ettiler, gün geçtikçe kinleri daha da bilenip durdu.

Bunlardan en kızgını Canip'ten on beş yaş küçük, iki çocuğuyla dul kalan, geçimi için büyük ölçüde ağabeyine muhtaç Rabia'ydı şüphesiz. Bütün olayı orta yaşlı bir adamın gençliğinin son kıvılcımlarını yakalamaya çalışması gibi görüyor, ağabeyinden tiksiniyor, aynı odada bulunmaya dahi katlanamıyordu. Hem ille de evlenmek istiyorsa yaşı yaşına uygun, dul, kendi halinde bir kadın bulunur, gül gibi geçinip giderdi. Ya bu kız bir de çocuk doğuracak olursa o zaman baba evlerinin kendine ve kızlarına kalması hayali tam manasıyla suya düşecekti.

Aslı'yı bir kere hamamda görmüştü. Rabia kızlarını yanına alıp pazartesileri hamam sefası yapardı. Evde yiyecekler hazırlanıp bohçalanır, neredeyse bütün gün kâh kese, kâh göbek taşı, eş dost sohbet ve bol dedikoduyla geçerdi. Fısıl fısıl konuşurlardı ki yan kurnalarda yıkananlar seslerini duymasınlar diye. Artık kim evlenmiş, kimin çeyizi hiçbir şeye benzemiyormuş, kimin yaptığı dolmadan pirinçler pırtık pırtık dışarı fırlıyormuş, kim kaynanasına pişirdiği kahveye şeker yerine tuz koymuş da sonra dalgınlıktan demiş, bir haftalık konuşulacak malzeme toplar, vücutları keseden kıpkırmızı, evlerine keyifle dönerlerdi.

İşte bu haftalık hamam sefalarından birinde Rabia, Aslı'yı uzun bacaklarını tam kapatmayan bir peştemal, ıslak saçlarında tülbentle göbek taşından inerken gördü. O da ağabeyi gibi gözlerini genç kızın güzelliğinden ayıramadı. Bir de pek çirkin sayılamayacak ama hiçbir özelliği de olmayan kendi kızlarına baktı. Aslı'nın adeta bu dünyanın dışından gelen bir ışığı, hali tavrı vardı. Hemen eğilip yanındaki arkadaşına kim olduğunu sordu.

"Tanımıyor musun, Kemal Bey'in kızı Aslı. O da senin birader gibi vekâlette çalışıyor. Ağabeyin muhakkak tanıyordur."

Rabia kıza bakarken neden olduğunu bilmeden tarifsiz bir rahatsızlık hissetti. Aslı'ya bakmaz ya da söz etmezse bu rahatsızlık hissinin geçeceğini düşündü. Aslı'nın aklının o orta yaşlı ağabeyinde olduğuna rüyasında görse inanmazdı. Ne gariptir ki genç kız Heybeliada'da babasının arkadaşına sabah kahvesini sunduğundan beri o kibar ve sakin adamı aklından çıkartamamıştı. Kahveyi vermek için eğildiğinde başını kaldırmış, adam da o güne kadar hiçbir erkeğin kendisine bakmadığı bir bakışla onu adeta içine çekmişti. O bakışları ne zaman yalnız kalsa üzerinde hissetmeye başlamıştı. Sadece yüzünde değil de sanki bütün vücudunda dolaşıyordu adamın bakışları, koltuk altlarından tut da göbeğinin biraz aşağısına doğru ya da ayak parmaklarının ucuna değer gibi. Bu hayal bazen o kadar sahici oluyordu ki Aslı bile şaşırıyor, gözlerini yumup vücudunun nasıl olup da adeta ondan ayrı bir iradesi varmış gibi daha önce hiç hissetmediği bir şekilde titrediğini, sanki içinin taa derinliklerinden bir şeylerin koptuğunu anlayamıyordu. Kan ter içinde yatakta bir o yana bir bu yana dönüp yorganı, yatak çarşafını oraya buraya savuruyordu. Neticede uyuyunca derin ve hiç rüyasız bir gece onu koynuna alıyor, uyanınca rahatlamış ama sanki içi boşalmış gibi, yatağından dingin ama yorgun kalkıyordu.

Aslı'nın hamam sefaları, kendi kendine bile itiraf etmekten çekinse dahi gitgide daha ilginç hale gelmeye başlamıştı. Eskiden ızbandut gibi hamamcı kadın iki-üç kere sırtını ovmaya başladığında sıkılıp hemen kalkarken şimdi neredeyse "aman hep burada yatıversem" diye düşünmeye başlıyordu. Çürük dişli iriyarı kadın önce cildi kıpkırmızı olana kadar kese atıyor, sonra "Hadi yatıver bi şu mermerin üstüne" diye genç kızı itiveriyordu. Aslı da gözlerini sıkıca yumup kendini kadının kocaman, kuvvetli ama bir o kadar da hünerli ellerine terk ediveriyordu. İşte o kocaman eller adeta onu oradan koparıp bir yerlere uçuruyor, dünyaya geri döndüğünde ise kendini kuş gibi hafif hissediyordu. Rabia Aslı'yı ilk gördüğünde masaj henüz bitmişti. Genç kızın güzel yüzü taa derinlerden gelen bir pırıltıyla etrafına ışık saçıyordu.

Rabia ölse ağabeyinin "sana sabah kahvesine geldim" deyip,

kahveyi getirince de "gel bakalım, otur şu karşıma, sana bir müjdem var" demesini unutamazdı. Adam meczup gibi sevine sevine Aslı'yı nasıl istediğini, kızın nasıl kabul ettiğini, Rabia'nın kızlarına adeta bir kardeş gibi olacağını sıralayıp duruyordu. Rabia ise kendi kendine "bu adam delirmiş, bu adam galiba bunamış" deyip bir eliyle diğer elinin etlerini kopartıyordu. Sonunda dayanamadı:

"Aman birader bey, neler diyorsunuz siz böyle, hiç olur mu öyle şey, vallahi de billahi de ele güne rezil oluruz, koskoca Canip Bey bu yaşında gençlik peşinde demezler mi? Bunun neresi müjde Allahaşkınıza? Bu olsa olsa, ne bileyim, felaket olur işte, felaket!"

Canip, kardeşinin hezeyanının farkında değilmiş gibi hâlâ kendisinin bile inanması zor olan şahane haberi içine sindirmeye çalışıyor, boş gözlerle Rabia'ya bakıyordu.

"Aman bir tanecik ağabeyciğim, bu kız sizin paranıza, pulunuza, mevkinize tamah ediyordur. Bir hafta-on gün sonra mahallenin maskarası oluruz vallahi, aman aman tövbeler olsun. Hem sonra vekâlettekiler ne derler, onu da mı hiç düşünmediniz be canım? Artık siz benim ve kızların hamisisiniz. Bahtsız başıma bir de bu mu gelecekti! Kulunuz köleniz olayım, hem evlenmek istiyordunuz da niye bu kadar beklediniz? Yaşı yaşınıza denk, salihat-ı nisvandan bir hanımı ben ellerimle getirirdim, sizin de yalnızlığınıza bir çare bulurduk."

Sonunda Canip dayanamayıp "Tamam mı Rabia'cığım başka söyleyeceğin bir şey kaldı mı?" diye Rabia'nın lafını kesti. Aslında kardeşinin kıskançlığı ona biraz da komik gelmişti. Zavallı kadıncağız sadece otuz beş yaşında olmasına rağmen kocakarı gibi konuşuyordu. "Bu da anama çekti" diye içinden geçirdi Canip. Anacığı da böyle dırdır eder, evde rahat huzur bırakmazdı.

"Ağabeyciğim beni dinlemiyorsunuz bile. Duydunuz mu dediklerimi?"

"Duydum kızım, duymasına duydum da, bakalım bu tiyatroyu daha ne kadar sürdüreceksin diye merak ediyorum."

"Yapmayın kurban olayım ağabey. Alay etmeyin gözünüzü seveyim. Kendinizi düşünmezseniz aile şerefimizi düşünün. Benim de neredeyse Aslı yaşında kızım var. Şuradan ölüm çıkar da dedesi yaşında bir adamla dünyada evlendirmem onu. Bunun ailesi de muhakkak servet avcısıdır. Oh canım ağabeyciğim, sizi kıskıvrak kapana sokmuşlar bunlar elbirliğiyle."

"Kimsenin beni kapana filan koyduğu yok, Rabia."

"Dinleyin ağabey, n'olur bir dakika dinleyin. Bunun muhakkak bir sevgilisi vardır, ortaya çıkmasın diye 'tamam Canip Bey'le evlenirim' demiştir. Bakın görün!"

Birden Canip'in o zamana kadar yüzünü kaplayan müstehzi ifade yerini adeta gözlerinden dışarı fırlayan kızgınlık dalgasına bıraktı.

"Yetti yahu, oturup karşına müstakbel zevceme hakaret etmeni mi dinlemeye geldim ben? Sana düğün hazırlıklarına başla demek için geldim. Ben Allah'ın izniyle Aslı Hanım'ı nikâhıma alıyorum. Ya ona hak ettiği hürmet ve sevgiyi gösterirsin ya da bu kapıdan çıkarım ve bir daha dönmem. Bak Rabia, bütün mesele bundan ibaret."

Biraz fazla ileri gittiğini anlayan Rabia ağabeyinin de inadını, ağzından çıkanı yapacağını bildiği için başını önüne eğip sustu. "Siz ailemizin başısınız, nasıl isterseniz öyle olsun. Ben her şeyi ayarlarım, siz merak etmeyin" dedi. Dedi de, içinden kendi kendine Aslı'nın öyle ya da böyle, bir şekilde canına okumaya, anasından emdiğini burnundan fitil fitil getirmeye yemin etti. Ağabeyine gelince, şapşal ihtiyar nasıl olsa "ben ettim sen eyleme" diye pek yakın zamanda Rabia'nın ocağına düşecekti. İşte o zaman bu baba evinin tek hâkimi kendisi olacaktı.

Her şeyden bihaber Aslı'nın ikinci düşmanı, Rabia kadar dili dönmese bile onun kadar kararlı asık suratlı, emektar Emine'ydi. O da Aslı'ya dünyayı dar etmeyi kafasına koymuştu. Emine Canip'e rahmetli karısından miras kalmıştı. İlk evlendiklerinde henüz genç ama o zamanlarda da suratsız olan Emine, Canip'in karısı Makbule'nin çeyizinin canlı bölümü olarak arz-ı endam etmişti. Makbule evlendikleri günden itibaren hep hastalıklıydı, hep mutsuzdu. Belki de hiç mutlu olmamıştı. Emine onun dizinin dibinde oturur, sanki hanımının eli ayağı gibi ona hizmet ederdi. Makbule ölünce Canip ne yapsın, kimi kimsesi olmayan, kız kurusu Emine'yi salmadı. Emine de ona hizmette kusur etmedi. Neredeyse hiç konuşmadan gül gibi geçinip gidiyorlardı. Ama bu yeni karı hikâyesi Emine'nin damarına fena bastı. Hadi yaşı yaşına uygun biri olsa neyse, ama torunu yaşında bu kız! "Erkeklerin hepsi hayvan, bizim beyin de farkı yok. Amaan Allah'a şükür, iyi ki ne evlendim ne barklandım" diyordu kendi kendine ütü yaparken, bulaşık yıkarken. "Bu yeniyetme benim zavallı Makbule Hanım'ımın yerine gelecek ha, görür gününü sürtük! Bir de bana emir verecek. Hanya'yı Konya'yı anlar, çok geçmeden defolup gider İnşallah" diye durmadan söyleniyordu.

* * *

Aslı ikinci defa hamile olduğunu anladığında, Ali Bedri neredeyse beş yaşına basıyordu. Bir taraftan "Bu sefer Allahım ne olur kız olsun" diye dua ediyor, sonra "Allah günah yazmasın, eli ayağı tamam, sağlıklı nur topu gibi ne nasipse o olsun" diye değiştiriyordu. Aslı da kendine bir "Emine" edinmişti evlendikten bir süre sonra: Yukarı mahalledeki sucunun kızı Cennet. Emine Kalfa hâlâ tepelerindeydi ama Aslı ona iş buyurmaz, istediğini hep Cennet'e söyletirdi. O akşam Cennet'in yardımıyla Emine'nin sevimsiz bakışları arasında kocasının çok sevdiği paça çorbasını kaynattı Aslı. Canip neredeyse on kere eline sağlık deyip afiyetle yedi yemeğini. Odalarına çıktıklarında Aslı artık dayanamadı. Kaç gündür "aman emin olmadan söylemeyeyim" dediği güzel sırrını yanakları hâlâ eline erkek eli değmemiş bir taze gibi kızararak söyleyiverdi. Canip Aslı'ya çılgın bir arzuyla sarıldı. Bir taraftan bu narin hamile kadını incitmek istemiyor, bir taraftan da hareketlerine gem vuramıyordu. Elli yaşını geçmişti ve bu şahane kadın ona ikinci defa baba olma hazzını tattırmak üzereydi. Aslı'yı sevmeye doyamıyor, Aslı da onun okşayışlarını katmerleyerek cevaplıyordu. Bazen de Allah vergisi dişiliğiyle içinden geldiği gibi komutayı kendi eline alıyordu. Birleşmelerinin doruğunda Aslı Canip'in boğazından derin bir iç çekiş duydu. Gözlerini aralayıp hâlâ ağırlığını hissettiği kocasının kulağına, "Seni o kadar seviyorum ki bazen şu yüreğim acıyor. Sen benim hayatımsın" deyip artık tükenen gücüyle başını hafifçe okşadı.

Canip cevap vermeyince, Aslı "Sevgilim uyudun mu yoksa, niye cevap vermiyorsun" diye nazlı nazlı serzenişte bulundu. Yine cevap alamayınca Canip'i önce hafifçe sonra hızla sallamaya başladı. Canip birden ağırlaşıvermişti o incecik bedenin üzerinde. Panik içindeki Aslı bütün gücünü toplayarak Canip'i kenara itti. Kocası gözleri ve ağzı açık hareketsiz, öylesine yatmaya devam ediyordu.

"Allahım n'olur ölme, öldün mü yoksa? Cevap ver bana, cevap ver, Canip cevap ver!" Boğazından çıkan sesler Aslı'nın kulağına yabancı geliyor adeta kapana sıkışmış bir hayvanın yakarışlarına benziyordu. Bu sefer cıyak cıyak bağırarak aşağı seslendi.

"Cennet, Emine, Emine Kalfa, çabuk ol gel! Beye bir şeyler oluyor."

Emine romatizmalı bacaklarını sürükleye sürükleye hiç istifini bozmadan, hiç acele etmeden merdivenleri çıktı. Kapıda Aslı'yla göz göze geldiler. Aslı ancak o zaman çırılçıplak olduğunu fark etti. Acemice elleriyle vücudunu örtmeye çalıştı. Emine bir taraftan başını tehditkâr bir şekilde sallayarak yatağa doğru yürüdü. Bir kadı edasıyla hükmünü verdi.

"İstediğin oldu Aslı Hanım. Al işte, öldürdün zavallı adamcağızı. Büyü yaptın ona, büyü! Ben bunun böyle olacağını başından beri biliyordum. Kırkından sonra azanı teneşir paklar. Hele ellisinden sonra. Bak gördün. Zaten arzun bu değil miydi?" diyerek kapıyı gürültüyle kapatıp çıktı. Aslı yatağın yanında kalıvermişti. Belki birkaç dakika, belki saatler sonra merdivende tekrar ayak sesleri duydu. Hepsi bir avaza konuşuyorlardı ama en baskını Rabia'nın sesiydi.

"Laf dinlettiremedim ah ah! İnat etti, dinlemedi. Aşifteyi nikâhına aldı. Hepimiz genç olduk değil mi, ama kim böyle yaptı ki? Hayatımda böyle rezalet görmedim."

Birisi, "Bu kadar bağırma Rabia, ağabeyini düşün" dedi.

"O bizi düşündü mü, çekilin Allah aşkına yolumdan" diye haykırıyordu. Aslı dışarıdaki gürültü patırtıyı fırsat bilip kapıyı çarçabuk kilitledi. Rabia o sırada kapıyı açmaya çalışıyordu. Hemen üstüne bir entari geçirip kocasının çıplaklığını da altında kalan çarşafla becerebildiği kadar örtmeye çalıştı ve kapının kilidini açtı.

Rabia cevap beklemeden soru yağmuruna başlamıştı bile. "Gördün mü yediğin haltı? Ha? Ağabeyim gibi şerefli bir insan orospuların koynunda mı ölecekti?"

Aslı orospu lafını duyunca birden irkildi. Kendisi için sarf edildiğini anlamak istemediği bu söz onu azıcık kendine getirdi ve Rabia' ya, "Efendim, ben ağabeyinizin zevcesiyim" dedi.

Rabia hiç istifini bozmadan "Belki öyleydin ama şimdi bir hiçsin. Topla bohçanı ananın evine git. Hemen şimdi. Görmesin gözüm seni. Al o piçini de götür. Bir daha da buralara gelme. Zaten ne yüzle gelebilirsin ki?"

Aslı hâlâ durumun vahametini anlayamadan Rabia'ya gözlerini dikmiş bakıyordu. Rabia ise o sırada evin yeni hanımı olmanın verdiği otoriteyle emirler yağdırmaya başlamıştı. "Emine koş, bahçıvanı kaldır, o salak oğlunu da getirsin. Ağabeyimi bu halde ortaya çıkartamayız. Giydirmemiz lazım. Sen, sen hemen şimdi çık buradan, beni daha fazla sinirlendirme."

"N'olur Rabia Hanım, beni kocamla yalnız bırakın biraz. Lütfen" diye yalvardı Aslı.

"Artık ondan sana fayda yok. Çok seviyor idiysen adamı böyle tüketmeseydin, yaparken düşünseydin" dedi ve yeni zafer kazanmış bir kumandan edasıyla çarçabuk yatak odasının yanındaki

Canip Bey'in çalışma odasına gitti. Sonunda Aslı kocasıyla tekrar yalnız kalabilme imkânı buldu. Elleri titreye titreye tekrar çarşafı kaldırdığında sanki kendi kendine gözleri kapanacak zannettiği gözlerin hâlâ anlamsız bir bakışla bilinmeyen bir şeye baktığını görünce birden işin vahametini anlayan Aslı ilk defa ağlamaya başladı. Gözyaşları gözpınarlarından birbirini iterek inmeye başlamıştı. Eğilip dudaklarını kocasının şakaklarına değdirdiğinde sanki insan vücuduna değil de balmumuna değmiş gibi oldu. Bu hissi ölene kadar unutamayacaktı.

Aniden oda kapısı açılınca Rabia elinde bir yığın kâğıtla ağlayarak içeri girdi. Hıncından nefes alamıyor, sesi yılan gibi tıslayarak çıkıyordu. Rabia'nın gözyaşları üzüntü yerine mağlubiyet ve aşağılanmaktan kaynaklanıyordu.

"Konağın tapusunu, kira evlerinin tapusunu üstüne yaptırdın, değil mi kaltak? Ne yılanmışsın sen ah, hiçbirimiz bu kadarını beklemezdik!" Sonra ağabeyine dönüp "Bu kadar aptal olunur mu be ağabey, ha? Koskoca Canip Bey, şu yeni yetme orospunun elinde ne hallere düşürdün kendi kanından canından olan aileni! Yazıklar olsun sana!" dedi.

"Neden bahsediyorsunuz? Hiç anlamadım ki" diyebildi Aslı.

"Anlamaz olur musun sen hiç? Neden bahsettiğimi pekâlâ biliyorsun. Ne için buraya geldiğin belli. Nah işte, istediğin oldu şimdi. Nur içinde yatsın anneciğim ve babacığımın namuslarıyla yaşadıkları ve öldükleri baba evimde artık sevgililerinle âlem yaparsın herhalde."

"Yeter! Yeter artık!" diye Aslı birden isyan etti. Rabia'ya doğru bir iki hızlı adım atıp "Sahiden ne dediğinizi bilmiyorum" diye haykırdı. İşte o anda Rabia, Aslı'nın üstüne yürüdüğünü zannederek suratına okkalı bir tokat yapıştırdı. Gafil avlanan Aslı dengesini kaybederek arkaya doğru gitti, sırtını kocaman Fransız yapısı maun şifonyere çarpıp yere düştü.

Bayılmıştı. Ya geçirdiği şoktan, yorgunluktan, üzüntüden ya da hepsinden dolayı bayılmıştı. Kendine geldiğinde kendini oğlunun odasındaki alçak divanda yatarken buldu. Kasıklarında içini koparan bir sancı hissediyordu. Gözleri etrafı seçebilmeye başladığında Cennet'in yanı başında yerde oturduğunu gördü.

*   *   *

Ayağa kalktığında oda etrafında dönüyormuş gibi geldi Aslı'ya. Cennet'in desteğiyle salona doğru yürüdüler. Herkes ne çabuk duyup da gelmişti. İçeri girmeden derin bir nefes aldı, Cennet'e "sen beni bırak" der gibi bir işaret etti. Kapıda biraz durup kolunu kapının kasasına dayadı. Oda aynı odaydı. Duvardaki kehribar tespih, muhafazasındaki eski *Kuran* ve onun altında Canip Bey'in her zaman oturduğu koltuk... Onlar da aynıydı. Gözlerini koltuğa doğru çevirdi Aslı, bütün bakışları üzerinde hissediyordu. Ağır adımlarla oraya yöneldi. Sert bir hareketle kendini lacivert kadife koltuğa bıraktığında aniden içinden yine oluk gibi kan geldiğini hissetti.

Aslı'nın gidip de hele hele kocasının öldüğü gün rahmetlinin koltuğuna kurulması herkesi şaşırtmıştı ama yirmi iki yaşındaki taze dulun gözlerinden okunan azim hiç kimsede bir şey söyleyecek hal bırakmamıştı. Rabia'ya da o gece aralarında hiçbir şey geçmemiş gibi saygılı ve mesafeli davranıyordu. Aslı o gece kararını vermişti. İçinden kurbanlık koyun gibi titrese bile kimseye belli etmeyecek, zayıflığını kimsenin anlamasına izin vermeyecekti. Vermedi de.

Yavaş yavaş herkes taziyelerini belirtip ayrıldı. En sonunda Rabia kalmıştı. İşte o zaman Aslı görümcesine dönüp kararlı bir tavırla,

"Rabia Hanım, eve giderken bir emanetiniz var. Onu almayı unutmayın" dedi.

Rabia bütün olanlardan sonra Aslı'nın bu cömertliği karşısında şaşırmıştı ama ne de olsa hafif ümitlendi. Ama bu ümidi Aslı sözlerine devam edince çok fena suya düştü.

"Emine Kalfa" dedi Aslı, "Artık bundan böyle sen Rabia Hanımlarda yaşayacaksın. Eminim senin de istediğin budur zaten. Aydan aya sana uygun bir harçlık gönderirim. Seni mağdur durumda bırakmam. Taşıyabileceğin eşyaları bu akşamdan götür, taşıyamadıklarını ben bahçıvan efendiyle gönderirim. Bu eve bir daha geri gelmene gerek kalmaz. Hepinize Allah rahatlık versin." Hiç istifini bozmadan üst kata, oğlunun odasına doğru yöneldi.

Rabia ve Emine, Aslı'nın arkasından bakakaldılar. Rabia arkasından gidip bir şey söyleyecek gibi olduysa da Emine kolundan tuttu. Emine, Aslı'nın artık evin hanımı olduğunu anlamıştı. Cümle kapısını arkalarından yavaşça çeken iki kadın sessizce yürümeye başladılar.

Ali Bedri'nin öyküsü

"Anneciğim, yani ben sizi koskoca bir hafta göremeyecek miyim?" dedi, gözleri dolu dolu.

"Evladım orada kalan tek çocuk sen değilsin ki. Bak kimbilir ne arkadaşlar bulacaksın. Sonra bir haftadan ne çıkar ki. Topu topu birkaç güncük. Ha deyince geçecek, yine evine kavuşacaksın." Aslı devamlı Ali Bedri'nin yakasını düzeltip duruyor, oğluyla göz göze gelmemeye çalışıyordu. Biliyordu ki kendini bıraktığı anda gözyaşlarını tutamayacak, çocuğu kaptığı gibi gerisin geriye eve götürecekti. Asıl korkusu o bomboş eve nasıl gireceği, oğlanın odasının önünden dahi nasıl geçeceği, onsuz nasıl yaşayabileceğiydi.

Canip Bey öldükten sonra Aslı sadece Ali Bedri için yaşamış, adeta onu koruyabilmek için nefes almış, yemek yemiş su içmiş, hayatta kalmıştı. İki yıldır biricik oğlunu gözünün önünden ayırmamak için elinden geleni yapmış, sonunda mahalle mektebindeki hocanın ısrarlarına karşı koyamamıştı.

"Hanımefendi" demişti adamcağız, "Ailenizi yıllardır tanımasam inanın bu kadar ısrar etmeyeceğim. Ama oğlunuz gerçekten çok zeki bir çocuk, sizin bu fedakârlığa dayanmanız lazım."

"Ama daha pek küçük değil mi? Yani, evden ayrılması için daha çok erken bence. Nasıl kıyayım çocuğa?"

"Erkek çocuğu bu, hanımefendi. Ben de başlangıçta zor olacağını biliyorum, ama inanın bunu oğlunuzun iyiliği için yapacaksınız. Emin olun pişman olmayacaksınız."

"Ben de onun iyiliğinden başka bir şey istemiyorum tabii, ama yine de..."

"Eminim siz de evladınız için en iyiyi istiyorsunuzdur. Tabii haklısınız. İşte ben de onun için Ali Bedri'nin Mektebi Sultani'ye gitmesini şart görüyorum. Bir kere İstanbul'da daha iyi bir okul yok. Sonra Fransa'dan çok kuvvetli hocalar getirtmişler. Ali Bedri hem kendi lisanımızda hem de Fransızca okuyacak. Hal böyle olunca okulu bitirdiğinde en üst mevkilere yükselmemesi için bir neden olmaz, devlet kapısında lisan bilen, iyi eğitim almış insanlara çok ihtiyaç var."

Aslı konuyu bir hafta boyunca enine boyuna düşündükten sonra tekrar Ali Bedri'nin okuluna gitti. Hocaya kararını bildirdi. Böylelikle Ali Bedri'yi Mektebi Sultani'ye yazdırdılar.

Ali Bedri annesine okulun devasa demir parmaklıklarının ardından bir kere daha baktıktan sonra onu yeni sınıfına götürecek olan yaşlı kâtibin peşine düştü. Aklında tek bir düşünce vardı: Bu zindandan kurtulmak.

Binaya girdiklerinde küçücük kalbinin sıkıştığını hissetti. Hiçbir şeye dikkatini toplayamadığı için yaşlı adamın adımlarına yetişmek bile onu zorluyordu. Mermer koridorlarda bir iki kere ayağı kaydı ama adamcağız bu işi kaç bin kere yaptığı için fark etmedi bile. Annesi okula başlarken yeni fotinler almıştı ama telaştan altını çizmeyi unutmuştu. En sonunda tam köşeden dönerken kaydı ve düştü. Adam hiç istifini bozmadan devam edince Ali Bedri ne yapsın, bu labirentte kaybolmamak için dizini ovuştura ovuştura hafif topallayarak yetişmeye çalıştı.

Sonunda bir kapının önünde durdular, kâtip efendi kapıyı vurdu. İçeriden ne söylediği anlaşılmayan bir ses gelince de Ali Bedri'yi sertçe içeriye itti. Geniş, sofa gibi bir oda, kendi yaşında gözüken bir yığın çocukla doluydu. Onların karşısında da başı açık fessiz genç bir adam duruyordu. Ali Bedri'ye hiç yüz vermeyen kâtip efendi, oğlu yaşındaki bu genç adam karşısında düğmelerini ilikledi, üzerinden dökülen bir nezaketle yanına yaklaşıp fısıl fısıl bir şeyler anlatmaya başladı. Bir iki kere Ali Bedri isminin geçtiğini duydu ama konuşulanlardan hiçbir şey anlayamadı.

Ali Bedri, o sırada gözleri fal taşı gibi açılmış, çocuklara bakıyordu. Eski okuluna benzer hiçbir şey göremiyordu. Çocuklar yerde bağdaş kurmak yerine sıralara oturmuşlardı, önlerinde ise rahle yerine masalar vardı.

Sonunda yeni hocası olduğunu anladığı genç adam Ali Bedri'ye boş bir yeri işaret ederek oturmasını söyledi. Ali Bedri sıraya geçti. Yanında, etrafında olan bitenle hiç ilgilenmiyor gibi duran, büyümüş de küçülmüş edasıyla ciddi bir çocuk oturuyordu. Hoca sınıfa bir şeyler anlatmaya başladı, Ali Bedri çıldıracak gibi oldu, hocanın dediklerinden hiçbirini anlamıyordu. Genç hoca sınıfın arkasına doğru yürüyünce yanındaki çocuk fısıldayarak, "Benim adım Tahir, senin adın ne?" dedi. Nihayet tanıdık bir söz duyduğuna sevinen Ali Bedri ismini neredeyse haykırarak söyledi.

"Şşşş bağırma, derste konuşmamız yasak" dedi Tahir.

"Ama bir tek kelime bile anlamıyorum ki!"

"Tabii ki anlamayacaksın. Anlasaydın ananın karnından Fransız olarak dünyaya gelirdin" dedi bilmiş bilmiş, Tahir.

Birdenbire bir trampet sesi duyuldu ve çocuklar tek sıra halinde sınıftan çıkmaya başladılar. Ali Bedri de kalabalığa uyup bahçeye doğru gitti. Çocuklar etrafını almışlar soru yağmuruna tutmaya başlamışlardı bahçeye çıktıklarında. İte kaka konuşuyorlardı. "Nereden geldin? Okul başlayalı şu kadar zaman geçti. Neden geç kaldın? Yoksa sınıfta mı kaldın?" El bebek gül bebek büyüyen Ali Bedri'nin gözleri dolmaya başlamıştı. Birden sınıfta yanına oturan çocuğun sesi kulaklarında yankılandı.

"Rahat bırakın be çocuğu. Daha geleli bir saat bile olmadı. Çullanmayın hep birden üzerine. Hele sen Hilmi, sen ilk geldiğinde bir ay ağladın. Ne çabuk unuttun da el âlemle dalga geçmeye başladın. Yeter yeter, başka bir eğlence bulun kendinize."

Tahir bunları söylerken ne bağırmış ne de kimseyi itip kakmıştı. Esasen bütün bunları sakin bir sesle söylemişti. Ama ne hikmetse çocuklar his ses çıkarmadan Ali Bedri'nin yanından ayrıldılar.

"Dert etme kardeşim" dedi Tahir, "her yeni gelene bir defa bulaşırlar ama aslında içlerinde kötülük yok. Bak sabah iki tane daha Fransızca dersi var. Sonra da öğle yemeği yiyeceğiz." Ali Bedri'nin boş boş baktığını görünce, "Yoksa şimdiden acıktın mı? Dur daha vakit var. Hem bak trampet çalıyor, derse gitmemiz lazım. Haydi yürü" dedi, Ali Bedri'yi elinden yakalayıp sıraya soktu.

"Tek bir gün hep bu kadar uzun muydu, ben mi fark etmemiştim bugüne kadar" diye düşünüp durdu bütün gün Mektebi Sultani'nin yeni talebesi. Hiç ama hiçbir şey anlamıyordu söylenenlerden. Etrafında olan bitenle ilgilenmeyi dahi bırakmıştı. Önündeki çocuğun ensesine dalmış, sanki dünya orada başlıyor orada bitiyor gibi gözlerini biraz da kirlice yaka ve enseden ayıramıyordu.

Akşamı hacı bekler gibi bekledi, sonunda hava karardı, akşam yemeğine oturdular. Herkes iştahla yemeğe saldırdığında Ali Bedri çatalıyla yemeğini tabağın bir tarafından öbür tarafına itmekle yetindi. Bu kadar kuru, lezzetsiz yemek olur muydu hiç? Nerede Cennet'in pişirip önüne buharı tüterken getirdiği erişteli pilav, nerede anacığının sarmısaklı sucuk köftesi? Yine gözleri doldu. Kimse fark etmesin diye yüksek tavana gözlerini dikti.

Yine trampet çaldı. Bu sefer çocuklar başka bir binaya yöneldiler. Kocaman yemekhanede yalnız kalıp yolumu bulamam korkusuyla Ali Bedri de çabuk çabuk arkalarından gitti. Çok büyük bir odaya geldiler. Daha önce bu kadar yatağı bir arada görmeyen ağlamaklı çocuk donup kaldı. Herkes bir acele yatmaya hazırlanıyordu. Yine Tahir imdadına yetişti.

"Öyle durma" dedi. "Bak işte bu da senin yatağın. Çabuk ol, daha çantanı dahi açmamışsın. Neredeyse ışıkları söndürürler. Hadi, hadi."

Ali Bedri bu ikaz üzerine son derece itinayla ütülenmiş gömleklerin, çamaşırların bulunduğu çantayı harıl harıl gecelik entarisini bulmak için karıştırmaya başladı. Bulamayınca da çantayı ters yüz etti. Eşyaları dört bir yana saçıldı. Diğerleri hep bu anı bekler gibi hemen üşüşüp birer eşya kapıp başlarının üzerinde bayrak gibi sallamaya başladılar.

Birden kapıda çocuğu sınıfa getiren kâtip efendi belirdi ve yataklara yatmalarını pek de nazik olmayan bir şekilde söyledi. Gecelik entarisini bulamayan Ali Bedri gündüz giydiği pantolon ve gömlekle yorganın içine sığınıverdi. Kâtip bir taraftan ağzının içinden söyleniyor, bir taraftan da lambaları tek tek söndürüyordu.

Yorgunluktan kaslarının her biri ayrı ayrı seyiriyordu. Bütün gün gerilmişti. Gözünün önünden anacığının hayali bir türlü gitmiyordu. Uyumaya çalışıyor, kendini o ölüme benzeyen sonsuzluğa terk etmek istiyordu. Ama nafile. Bu yaşına kadar her gece uyuyana kadar annesi başında otururdu. Uyku ile uyanıklık arası gözlerini araladığında hep onun mahzun ama güven verici yüzünü görürdü. Sanki dünyanın öbür ucunda yapayalnız kalmıştı. Dayanamadı. Bütün gün içinde dalgalar halinde biriken gözyaşları birden göz pınarlarından süzülmeye başladı. İşte o anda bir fısıltı duydu ve irkildi.

"Ağlama" dedi fısıldayan ses, "çok yakında buraya alışırsın. Alışınca da gitmek istemezsin". Bunları söylerken bir taraftan da lavanta kokulu bir mendille küçük çocuğun gözyaşlarını kuruluyordu.

"Benim adım Mösyö Bartolome. Söyleyebilecek misin adımı, ne dersin?"

Ali Bedri cevap vermek yerine gözlerini sıkıca yumdu. Bu sabahleyin ilk derste gördüğü hocasıydı. "Ne tuhaf, demek bu gâvurcuklar bizim dilimizi de biliyor, bizim gibi konuşuyorlar" diye düşündü. İçi biraz olsun hafiflemişti. Çok geçmeden kasları gevşedi, uyku aniden zayıf bedenini sardı.

Zaman Mösyö Bartolome'yi haklı çıkardı. Çocuk gerçekten de okula çabuk alıştı. Aslı hafta sonunda oğlunu almaya geldiğinde gözlerine inanamadı. Sanki birkaç gün önce yaşlı gözlerle terk ettiği yavrusu gitmiş, onun yerine başka bir çocuk gelmişti. Etrafındaki diğer çocuklara gülerek selam veriyor, neredeyse hepsine adıyla seslenip "İki gün sonra görüşürüz" diye neşeyle bağırıyordu. Aslı bir an hüzünlendi. Bütün hayatını bağladığı biricik evladı bu kadar mı çabuk onu unutmuş, sanki büyük adam gibi kendine yeni bir dünya kurmuştu? Ona kısaca sarılıp hemen arkadaşlarına veda etmek için geri dönmüştü Ali Bedri. Onu ağlayarak bulsa tabii ki sevinmeyecekti. Zaten bütün hafta bunu kurmuştu kafasında. Oğlan orada yapamıyorsa alıp mahalle mektebine geri götürecekti. Her adam olan illa Mektebi Sultani'ye gitmiyordu elbet. Bu çocuk da bir şekilde büyür, bir baltaya sap olurdu. Ama boşuna kafasında bu senaryoları kurmuştu Aslı. En çok da ciddi bakışlı bir çocukla vedalaşırken gülüyordu oğlu. Çocuğu almaya gelen babası, Aslı'nın beklerken gösterdiği sabrı göstermedi. "Hadi çabuk" der gibi bir el hareketiyle oğlunu aldı ve götürdü. Ali Bedri de nihayet annesinin yanına gelebildi.

Tahir'in babası da aynı okulu bitirmişti. Zamanında paraya para demeyen bu ailenin felaketi büyükbabanın kumar merakından gelmişti. Adam her şeyi satıp savmış, neticede Tahir'in babasının eline bakmaya başlamıştı. Bunun üzerine mesuliyet sahibi oğul genç yaşta Osmanlı Bankası'na kâtip olarak girmişti. Felaketler zinciri bununla da bitmiyordu. Büyükbaba ölünce alacaklılar kapıya dayanmış, borçları ödemek yine Tahir'in babasına düşmüştü. Adamcağız Tahir'i okula leylî meccanî kaydettiremeseydi çocuk bu okulda değil okumak, önünden dahi geçemezdi.

İki çocuk birbirlerine son kez el salladılar, Ali Bedri annesinin kapıda beklettiği arabaya bindi, Tahir de babası bir adım önde kendi bir adım arkada Cadde-i Kebir'de yürümeye başladılar.

Başlangıçta Ali Bedri'nin diğer çocukların Fransızca seviyesini yakalayabilmesi için özel ders gerekti. Mösyö Bartolome zaten çok kıt olan boş zamanının büyük bir kısmını bu görevi üstlenerek geçirmeye başladı. Ama emekleri hiç de boşa gitmedi. Çocuk bu zor lisanı gayet kolay öğreniyordu. Zaten taklit kabiliyeti üstün olduğu için kelimeyi bir kere duyunca aynen telaffuz edebiliyordu.

Ali Bedri ve Tahir ilk üç seneyi kazasız belasız atlattılar. Dersler biraz zorlaştı ama bunun da üstesinden geldiler. Aslında Ali Bedri çok ders çalışan bir çocuk değildi ama sempatik tavırlarıyla, zaman zaman kendini acındırmasıyla, zaman zaman da yaptığı esprilerle bütün hocalarının sevgisini kazanmıştı. Fransız dili ve edebiyatı hocası Mösyö Bartolome de bütün hocalar arasında genç delikanlıya en düşkün olanıydı.

* * *

Bartolome üniversite yıllarında edebiyat okumuştu. Çok titiz, dikkatli, iyi bir öğrenciydi. Ailesine karşı da biraz mesafeli olmakla beraber daima saygılıydı. Kız kardeşleriyle akran gibi ilgilenirdi. Bartolome'nin tatillerde eve dönmesi kızlar için Noel kutlamaları gibi sevinçli olurdu. Günlerce hazırlanırlar, ağabeylerinin onlara yine eğlenceli zamanlar geçirteceğini bildikleri için gelişini iple çekerlerdi. Bütün bunlara rağmen genç adam okulu bitirince, kendileri de koyu Katolik olmalarına rağmen ailesini çok şaşırtan ve üzen bir karar aldı. Papaz olmak istiyordu. Halbuki başka erkek çocuğu olmayan aile nesilden nesile devam eden başarılı tekstil işinin başına, sonradan Frer Bartolome adını alan Frédéric'i geçirmek istiyordu. Babası önce yumuşak bir edayla, sonra "Seni mirasımdan mahrum ederim"e kadar uzanan tehditlerle vazgeçirmeye çalıştıysa da nafile; Frédéric, Nuh dedi peygamber demedi. Tekstil işindeki ortaklarının da üç kızı vardı. En büyüğünün Frédéric'le evlenmesi ta çocuklar küçükken kararlaştırılmıştı. Böylece ortaklık pekiştirilecek, iş de ellere kalmayacaktı.

Frédéric okul bitip gerçeklerle yüz yüze kaldığı zaman geceler boyu gözüne uyku girmedi. Ailesinin baskısına ve en kötüsü, o aptal kızla değil evlenmek aynı odada bulunmaya dahi tahammül edemiyordu. Ne zaman bir şey söylese cevap vermek yerine aptal aptal sırıtıp önüne bakıyordu. Frédéric de bunaldıkça bunalıyordu. İki ailenin birbirlerine gidip gelmelerinden, akşamları şöminenin başında oynanan kâğıt oyunlarından nefret ediyor, hele hele o kızla bütün bir ömür geçirmenin ne kadar imkânsız olduğunu idrak ediyordu. Üstelik evliliğin gereğini yerine getirmesi, bu kadınla tek vücut olması gerekecekti. Kendi kız kardeşleri ve annesinden başka hiçbir kadınla bugüne kadar teması olmamıştı. Üniversitedeki arkadaşları çapkınlık hikâyeleri anlatırken, bilhassa da umumhanelerde yaptıklarını en ince detayına kadar sarhoş ağızlarında ballandırdıklarında onlardan tiksinirdi, hatta bütün kadınlardan iğrenir olmuştu. Bütün bunlardan kurtulmanın tek çaresi vardı: Pek içinden gelmese bile kendini Tanrı'ya adamak.

Gözü yaşlı annesi, kızgın babası, şaşkın sözlüsü ve hayretler içinde kalan kız kardeşlerini bırakıp arkasına bile dönüp bakmadan soluğu dini eğitim alacağı manastırda aldı. Yaşlı başrahip elinden yüzlerce öğrenci geçtiği için karşısındaki genç adamı hiç konuşmadan uzun uzun süzdü. Aralarındaki sessizlik tam tahammül edilemez bir hale gelince yaşlı adam konuşmaya başladı.

"Biliyorsun Frédéric" dedi, "bu bir meslek değil bir yaşam biçimidir. Burada kayıtsız şartsız Tanrı'ya hizmet edeceksin. Ama bazıları bir şeylerden kaçmak için buraya sığınırlar, yani bu kapıya gelen insanları sadece Tanrı'ya hizmet duygusundan başka şeyler de itebilir. Çabuk yaşlanırsın. Gitgide ailenle olan bağların zayıflar. Belki Tanrı'yı içinde bulursun belki de ona hiç yaklaşamazsın. Sen niçin buradasın?"

Frédéric uzun zaman cevap vermedi ama gözlerini yaşlı adamın gözlerinden de kaçıramadı. Adamın verdiği güven duygusunu daha önce hiç kimsenin karşısında hissetmemişti. Aslında ne demesi gerektiğini çok iyi biliyordu ama dürüst olmaya karar verdi.

Yavaşça "Belki zamanla niye burada olduğumu anlayabilirim" dedi. Bu cevap tecrübeli başrahibi hiç şaşırtmadı. Tanrı'ya adadığı uzun ömrü sırasında çeşit çeşit insanla karşılaşmıştı ama hiçbir zaman kötümser olmamıştı. Yerinden kalktı ellerini Frédéric'e uzatarak "Hoş geldin aramıza, Tanrı seninle birlikte olsun" dedi. Kapıya kadar genç adamı geçirip dışarıda ellerini kavuşturmuş bekleyen sekreterine teslim etti.

Günler aylar birbirini takip etti. Yalnız kalmak genç adamın hoşuna gitmişti. Sabah gün doğmadan kalkmak, gün boyu dizleri üzerine çöküp dua etmek ve sonunda geceleri soğuk, rutubetli hücresinde rüyasız uykulara dalmak genç adamı hiç mi hiç rahatsız etmiyor, verilen her görevi eksiksiz yerine getiriyor, adeta ruhunu tatile göndermiş gibi bir hisle besleniyordu. Düşünmeye vakti bile yoktu. Buna rağmen ağzında hep bir yavan tat, yanlışlıkla başkasının evine girmiş gibi, onun terliklerini ve elbiselerini giyip başkaları için hazırlanan bir yemekten sinsice yermiş gibi bir his vardı. Cüppesini giymesine bir gün kala güzel bir sonbahar akşamı hücresine döndü. Kitaplarını ve zaten az olan eşyalarını küçük çantasına koyup kimseye veda etmeden manastırdan ayrıldı. Uzaklara, çok uzaklara gidip kaybolmak istiyordu. Doğuya gidecekti. Hindistan, Çin, belki de Japonya. Babasından para istemesi söz konusu olamayacağı için dar imkânları ancak İstanbul biletine yetişti. "Burada bir iş bulup çalışır, sonra biraz para biriktirip Hindistan'a giderim" diye düşündü. Ama Sirkeci Garı'nda İstanbul'a ayak basar basmaz bir şeyler oldu. Gardan çıktı, İstanbul'un minyatürleri andıran siluetini içine çekti ve birden kendisini sanki buraya aitmiş gibi hissetti. Trende tanıştığı bazı Amerikalı misyonerler İstanbul'da yabancıların hocalık yaptığını söylemişler ve Mektebi Sultani'de Fransızca öğretmenliği yapması ihtimalinden söz etmişlerdi. Bu da beklediğinden kolay oldu. Zaten yabancı hoca getirtmekte zorluk çeken okul idaresi kendi ayağıyla gelen kısmeti pek tabii geri çevirmedi.

Artık geçmişiyle ilgili her şeyi silmek istiyordu. Kendini manastırda ona verilen isimle, yani Bartolome diye tanıtmaya başladı. Eski Frédéric'e ait her şeyden, her türlü hatıradan arınmak istiyordu. Kendini büsbütün işine verdi. Çoğu yaşlı diğer öğretmenlerin işlerini de yavaş yavaş üstleniyor, kendine ayıracak bir dakikası bile kalmıyordu. Böylece düşünmeye ne hali ne de vakti kalıyordu.

* * *

İstanbul'a gelişinin ikinci yılında yaşlı kâtip ders esnasında yeni bir öğrenciyi sınıfa getirdi. Yeşil gözlü küçük çocuğun gözleri yaşla buğulanmış, imdat ister gibi ona bakıyordu. Onu avutabilmeyi çok istemesine rağmen boş bir sandalyeye yöneltivermişti. Yine aynı günün gecesi ışıklar söndükten sonra yatakhane kontrolüne çıktığında aynı çocuğun ağladığını fark etmiş, gözyaşlarını lavantalı mendiliyle silmişti. Ali Bedri'ye gönüllü olarak verdiği özel dersler sırasında daha da yakınlaşmışlardı. Derken okul sonrası yapılan oyunlar, tarihi İstanbul'u keşfettikleri yürüyüşler Ali Bedri'yle Bartolome'yi ayrılmaz bir ikili haline getirmişti.

Ali Bedri yavaş yavaş çocukluktan çıkmaya başladı. Zayıftı ama her yemeği, okulda verileni bile, iştahla yiyordu. Gitgide gelişen bu genç adamda Bartolome'yi hem mutlu eden hem de son derece rahatsız eden bir şeyler vardı. Delikanlıyı ne zaman arkadaşlarıyla gülüp oynaşırken görse kıskançlıktan göğsü sıkışır gibi oluyor, bir bahane bulup hemen Ali Bedri'nin dikkatini çekmeye çalışıp onu diğerlerinden uzaklaştırıyordu. Yalnız kendi esprilerine gülsün, her yeni şeyi ondan öğrensin istiyordu. Hele hele yakın arkadaşlarına, bilhassa Tahir'e, çok kinleniyordu.

Tahir ve Ali Bedri ilk günden beri iyi arkadaştılar, yıllar geçtikçe birbirlerini tamamlar olmuşlardı. Tahir'in ciddiyetini Ali Bedri'nin hiç bitmeyen neşesi, taklitleri ve kahkahaları dengeliyordu. Tahir'in babası taşraya tayin olunca Tahir büsbütün arkadaşının evinden çıkmaz olmuştu. Her hafta sonu Aslı'nın ve Cennet'in güzel yemekleriyle karnını doyuruyor, evin öbür küçükbeyi gibi sıcak bir yuvanın bütün nimetlerinden faydalanıyordu.

Bartolome bu iki gencin arkadaşlığına bir türlü akıl sır erdiremiyordu. Bir kere fiziksel olarak iki çocuk çok farklıydılar. Ali Bedri beyaz tenli, ince ve uzun bacaklıydı. Yeşil gözleri bir mahalle öteden çakmak çakmak yanıyordu. Tahir ise esmerdi. Bedeni azıcık tıknazdı, yapılı sayılırdı. İnik göz kapakları ve kıvırcık kirpikleri Tahir'e yaşından büyük bir görünüm veriyordu. Bartolome kendine hayret ediyordu: Gençler hafta sonlarında Ali Bedri'nin evine çıktıklarında bütün gününü iki delikanlının neler yaptığını hayal etmekle geçiriyordu. Neler konuşuyorlardı, neleri birbirleriyle paylaşıyorlardı, aralarında ne gibi sırlar vardı ki böyle birbirlerinden ayrılamıyorlardı? Aslı'nın arabası kapının önüne her gelişinde, çocuklar neşeyle içinde kaybolup arabacı atları hareket ettirince arkalarından gözden kaybolana kadar bakıyor, sanki Ali Bedri'yi bir daha göremeyecek gibi hüzünleniyordu. Hep gözünün önüne ders aralarında Ali Bedri ve Tahir'in kol kola yürüyüşleri, yine Ali Bedri'nin birbiri arkasından patlattığı esprilere Tahir'in, o her zaman büyümüş de küçülmüş gibi asık suratlı Tahir'in kahkahalarla gülüşü geliyordu. Zaten böyle zamanlarda Bartolome sohbetlerini bölmek için hemen Ali Bedri'yi yanına çağırır adeta ona olan ilgisini ölçmek için bir bahane uydururdu.

Bartolome yine bir gün İstanbullu Müslümanların tabiriyle Cadde-i Kebir'de dolaşırken aklına Ali Bedri geldi. Her tarafa ilanlar asılmıştı. Weinberg adında birinin şehirde ilk defa sinema gösterisi yapacağı duyuruluyordu. Böyle bir haberi İstanbul'a haftalar, bazen de aylar sonra gelen Fransız gazetelerinden okuduğunu hatırladı. "Bundan iyi fırsat olur mu hiç" diye düşündü. Dünya üzerinde ilk defa görülen bu icat, zaten her şeye meraklı Ali Bedri'nin kayıtsız şartsız ilgi ve sevgisini Bartolome'ye odaklandırırdı. Okula gelir gelmez çocuğu odasına çağırttı.

"Bu harika bir şey!" dedi Ali Bedri, "Yani insanlar gerçekten olduğu gibi hareket edip hoplayıp zıplıyorlar mı? Fotoğraf değil de eti budu varmışçasına?"

"Herhalde öyle olacak. Weinberg denilen adam bu işin ustasıymış. Görmek ister misin?"

"Mösyö Bartolome, istemek de ne demek, görmek için kolumu veririm, canımı veririm! Nerede olacakmış bu şahane icat?"

"Dur Ali Bedri, o kadar heyecanlanıp kolunu bacağını karıştırma bu işe, sadece sordum. Bu kadar istiyorsan ben seni götürürüm."

"Sahiden götürür müsünüz mösyö? Beni de götürür müsünüz?"

"Söz sözdür oğlum, sen bana bırak."

Hafta sonunda Ali Bedri eve çıkmadı. Bunun yerine Bartolome'yle İstanbul'a gelen yeni icadı seyretmeye gittiler. Ali Bedri gösteri boyunca hiç susmadı. Devamlı heyecanını ve hayranlığını dile getirdi. Bartolome ise büyük bir hazla gözlerini bir an bile protejesinden ayırmadan genç adamın sorularına cevap verdi. Okula gelene kadar da bu soru yağmuru kesilmedi. Ama demir kapılardan içeri girdikleri an Bartolome'ye teşekkür bile etmeden yanından koşarak uzaklaştı. Yatma zamanı geldiği için kendini doğruca yatakhanede bulunan arkadaşlarının yanına attı.

Bartolome yatakhanenin kapısına geldiğinde Ali Bedri'yi arkadaşlarının oluşturduğu çember içinde oturmuş, geniş hayal gücünden bir şeyler daha katarak seyircilerini büyülerken gördü. Tahir hariç hepsi ağızları açık genç adamı dinliyorlardı. Tahir ise bütün ciddiyetiyle abartılı sözleri yerinde fark edip inanmadığını belirtmek için yine en doğru soruları soruyordu.

Yıllar birbirini kovaladı ve sonunda Ali Bedri ve Tahir mezun oldular. Canip'in eski dostları vasıtasıyla Aslı, Ali Bedri'ye Hariciye Vekâleti'nde bir memuriyet buldu. Artık mükemmel olan Fransızcasıyla iki devlet arasında gidip gelen resmi evrakı tercüme edecekti. Ama genç adam hemen işe başlamak yerine mösyönün o anlatıp bitiremediği Paris'i görmek istiyordu önce.

Gitmek için o kadar heveslenmesine rağmen tren hareket edip annesi ve Tahir'in siluetleri giderek küçülmeye başladığında okula ilk başladığı günkü burukluğu hissetti. Yemek saatine kadar pencereden dışarıyı seyretti.

Yemek vagonuna girince hayretler içinde kaldı. Trende değil, çok zengin bir asilzadenin malikânesinde zannetti kendini. Kadife kaplı sandalyeler, avizeler, asker gibi yan yana dizilmiş kristal kadehler ve kabartmalı gümüş çatal bıçaklar. Tek fark, bu malikânenin hareket etmesiydi.

Dışarıyı biraz daha seyredebilmek için pencerenin yanına oturdu. Yaz mevsiminde oldukları için hâlâ gün kararmamıştı. Heyecandan içi içine sığmıyor, Paris'teki günlerinin nasıl geçeceğini hayal etmeye çalışıyordu. O kadar dalmıştı ki kulağının dibinde fısıltı gibi çıkan ses onu aniden ürküttü.

"Birini mi bekliyorsunuz?"

"Ben mi? Yani hayır. Oturmaz mısınız?" diyebildi.

Baştan aşağı siyahlar giyinmiş, başı yine siyah bir tülle örtülü genç bir kadın cevap vermeden karşısına oturdu. Yüzü müsamere için annesinin kılıklarını giymiş bir çocuk gibi taze ve genç duruyordu. Ali Bedri belli etmeden kadını inceliyor, kadın ise gözlerini yemeğinden kaldırmadan tabağındaki yiyecekleri çatalıyla bir tarafa itip küçük lokmaları ağzına atıyor ve bardağındaki suyun yardımıyla ilaç içer gibi hiç çiğnemeden yutuyordu. Bu arada Ali Bedri'yle hiç göz göze gelmediler. Sonunda Ali Bedri yemeğini bitirdi, daha fazla oturmasının nezaketsizlik olacağını düşünerek ayağa kalktı ve kadından izin istedi. Ancak o zaman kadın onu ilk defa görüyormuşcasına gözlerini Ali Bedri'ye doğru kaldırdı. Kompartımanına dönen genç adam trenin beşik gibi sallamasının da yardımıyla mis gibi keten çarşaflara gömülerek uykuya daldı.

Bir süre sonra trenin gürültüsünün yanı sıra belli belirsiz bir tıklamayla irkilerek gözlerini açtı, önce ne olduğunu pek anlayamadı ama ses biraz daha kuvvetli tekrarlanınca kompartımanın kapısından geldiğini anladı. Kalkıp kapıyı açtı. Karşısında yemekteki genç kadın duruyordu ama bu kez başı örtülü değildi. Kararlı bir ifadeyle Ali Bedri'yi yana itti ve kapıyı kapattı.

"Çok korkuyorum" diye fısıldadı genç kadın. Ali Bedri hiç düşünmeden kadını kollarına aldı. Sonra usulca saçlarını okşamaya başladı. Kadın hiç konuşmadan ona sıkıca sokulmuştu. İkisi de ne olduğunu anlamadan önce yavaş, sonra artan bir tutkuyla birbirlerinin vücutlarını keşfetmeye başladılar. Ali Bedri genç kadının yüzünü öpmek için eğildiğinde ıslak olduğunu fark etti ama öylesine bir heyecana kapılmıştı ki nedenini soramadı. Zaten birkaç dakika sonra erkekliğinin ilk deneyimini yaşamış olmanın mutluluğuyla derin bir uykuya daldı.

Tren tekerleklerinin kulakları tırmalayan gıcırtısıyla kendine geldi. Kadın yanında yoktu. Perdeyi kaldırdı. Dışarıda bir kargaşa vardı. Üç adam abanoz gibi parlayan siyah bir tabutu trenden indirmeye çalışıyorlardı. Adamların arkasından geceyi birlikte geçirdiği genç kadın çekingen adımlarla platforma indi. Yine siyahlara bürünmüştü. Başını yine siyah bir tülle örtmüştü. Tren aniden harekete geçti. Kadın arkasına bakmadan istasyona doğru yürüdü. Ali Bedri koridora çıkıp kondüktörü çağırdı.

"Niye durduk? Ne oldu? Kimdi bu insanlar?"

"Bu istasyon tarifede yok efendim" dedi kondüktör. "İnşallah fazla rahatsız olmadınız. Olmayacak şey işte. Adamcağız İstanbul'da bir av kazasında hayatını kaybetmiş. Tabii memleketinde gömmek istemişler. Buraların eşrafındanmış dediklerine göre. Karısı da o kadar genç bir taze ki..."

Ali Bedri daha fazla dayanamadı:

"Ne yani, ölen adamın karısı mıydı o siyahlı kadın?"

"Tabii efendim."

"Yani kadın kocasının naaşının trende olduğunu biliyor muydu?"

"Hiç bilmez mi? Bütün hazırlıklar yapılırken o başında durdu. Sonra indirilirken de yük vagonuna kadar geldi." Ali Bedri'nin başı dönmeye başlamıştı. Hâlâ karmakarışık yatağının üzerine çöktü. Adama da tamam gibi bir işaret edip tekrar uykuya dalmaya ve olanları unutmaya çalıştı.

* * *

Paris'e varacakları gün erkenden uyandı. Hiçbir şeyi kaçırmak istemiyordu. En güzel kılıklarını giyip damat gibi süslendi. Tren şehrin dış mahallelerinden geçmeye başladığında kalbi yerinden fırlayacakmış gibi çarpmaya başladı. Bagaj kompartımanındaki bavullarının bir an önce çıkarılmasını istedi, yanındaki bavulunu da koridora çıkardı. Paris topraklarına ilkönce o ayak basmak istiyor, adeta şehrin fethine gelmiş gibi davranıyordu.

Peronda şaşkın şaşkın bakınırken yanına babasının eski tanıdıklarından biri olan başkonsolosun sekreteri yaklaştı. Kendini tanıttı. Ali Bedri minnetle adamın ellerine sarıldı. Yıllardır Paris'te yaşayan bu yaşlı adam Paris'i avucunun içi gibi biliyordu. İşi biraz da eşin dostun buralara yolu düşen yakınlarıyla ilgilenmekti. Ali Bedri'ye de daha önceden yerleştirdiklerinin memnun kaldığı Tuileries Bahçeleri'ne yakın bir pansiyonda yer ayırtmıştı. Eşyaları hamala teslim ettiler. Ali Bedri "buranın hamalları da bir başka türlü" diye geçirdi içinden "adamlar ne de olsa Avrupalı, eşyaları bizimkiler gibi sırtlarında taşıyacak değiller ya, tekerlekli arabalarla götürüyorlar".

Çıkışta konsolos görevlisi Hikmet Bey bir araba çevirdi ve adresi çabuk çabuk söyledi. Ali Bedri hiçbir şey anlamadı. Yolda her şeyi hayretle dolu bir beğeniyle seyrediyordu. Hikmet Bey bu kadar soru soran bir Türk'le daha önce hiç karşılaşmamıştı. Çoğunlukla Paris'e ilk defa gelenler şehrin ihtişamı altında ezilir, çok geçmeden de sıla hasretiyle İstanbul'u özlerlerdi. Ama bu genç adam bir sorudan diğerine geçiyordu. Gardan pansiyona kadar, aslında cevapları pek de doğru dürüst dinlemeden, neredeyse Paris'i ezberlemeye çalışıyordu.

Pansiyondaki odası küçük ama tertemizdi. Çiçekli perdeleri, çiçekli yatak örtüsü kendi evinden ne kadar farklı, ne kadar neşe doluydu! Kendi evi, hâlâ, rahmetli babası her an kapıdan girip "Hanım benim öldüğümü bilmiyor musun, nedir bu neşe, nedir bu hafiflik" diyecek gibi yıllardır matemliydi. Hikmet Bey yakınlarda yemek yiyebileceği birkaç lokantanın adresini verip, bir ihtiyacı olursa kendisini mutlaka aramasını tembihleyip Ali Bedri'den ayrıldı. Ali Bedri hiç mi hiç Hikmet Bey'i aramak zorunda kalmadı. Çünkü âşık olmuştu, hem de uçsuz bucaksız bir şehre.

Her şey İstanbul'dan daha görkemli, her şey daha parlaktı. Bir kere Paris, İstanbul'un o geceleri göz gözü görmeyen karanlık sokaklarının yanında ışıl ışıldı. Köprüler, abideler, görecek o kadar çok şey vardı ki! Paris karşısındakine kendini cömertçe sunan kanlı canlı, şık ve güzel bir genç kadın gibiydi. İstanbul ise, anası gibi hüznü gözlerinden okunan, sadece anılarında yaşayan, dokununca büsbütün hatıralar arasında kaybolmaya yüz tutan gözü yaşlı bir duldu. "Eve dönmesem, keşke hep Paris'te yaşayabilsem" diye düşündü. Her akşam başka bir restoranda yemek yiyordu. İlk başlarda çabuk konuştukları için zor gelen Fransızcayı artık kolayca anlayabiliyordu. Ne de olsa okuldaki öğretmenler hep tane tane, her kelimeyi iyice telaffuz ederek konuşuyorlardı. Buradakiler ise lafın yarısını yutup, başka başka aksanlarla insanın kafasını karıştırıyorlardı. Hele o el kol hareketleri! En basit bir olayı saatlerce dünyanın en önemli şeyiymiş gibi anlatıyorlardı. Önce garsonlarla sohbet etmeye başladı. Sonra yan masalardakilerle konuşmaya cesaret etti. Çok geçmeden bu yakışıklı ve son derece nazik Türk genci kafelerde aranan bir sima haline geldi.

Tabii cinsi latif, Paris gezisinin belki de en temel keşfiydi. Kimi zaman profesyonellerle, kimi zaman amatörlerle yaşanan kaçamaklar, Ali Bedri'yi kadınlar konusunda bir uzman haline getiriyordu. Ona kalsa amatörlerle yaşananlar, bu işi meslek haline getirenlerden daha çılgın, daha sıra dışı oluyordu. Ne yazık ki yanındaki para çok geçmeden suyunu çekti. Tam dört ay sonra aklı orada, bedeni başka yerde, ister istemez İstanbul'a döndü. Hiç keyfi yoktu. Yemeklerini bile çoğunlukla kompartımanına getirtti.

* * *

Tren Sirkeci Garı'na vardığında isteksiz isteksiz yerinden doğruldu. Annesi ve Tahir heyecan içinde, gözlerini bir an bile ayırmadan hangi vagondan çıkacak diye onu bekliyorlardı. İkisini görünce, önüne çocukluğundan beri hep yediği, sevdiği ama biraz da bıktığı bir yemek gelmiş gibi sevindi. Tadı hep aynıydı bu yemeğin, ne fazla tuzlu biberli, ne fazla sıcak ne fazla soğuk, her şey dozunda, ne eksiği ne de fazlası olan bir yemek.

Tahir hemen soru bombardımanına başladı. Sanki geçen dört ayda Ali Bedri Fransa üzerine bir otorite kesilmişti, en çok siyasetle alakalı konular merakını çekiyordu. Genç adam her cümlesinin başında sultanın baskısından dem vuruyor, sonra Fransa örneğine geliyordu. İşin doğrusu, görgüsünü ve bilgisini artırmak için gönderildiği bu yolculukta, siyasetle pek ilgilenememişti Ali Bedri. Onun ilgisini çeken konuşma özgürlüğü değil, fazla ısrar beklemeden beden hazlarının doruğuna götüren kadınların özgürlüğüydü. Tahir'in ise bu taraklarda hiç mi hiç bezi yoktu. Okul arkadaşları Hilmi ise bambaşkaydı. O Paris'e daha gitmemişti ama Ali Bedri'nin biraz abartarak anlattığı çapkınlık hikâyelerini ağzının suyu akarak dinliyor, arada bir Avrupa görmüş arkadaşı gibi olmasa dahi kendi tecrübelerini anlatmaktan çekinmiyordu. İşte konuşmalar böyle ağdalı bir hale gelince Tahir hemen eline bir kitap alıp Aslı'nın gözü gibi baktığı bahçesine çıkıyor, çıplak etlerin değil sözcüklerin dünyasında kendini kaybediyordu. En büyük korkusu bu genç yaşında kendini dünyevi zevklere adamış en yakını, kardeşi gibi olan Ali Bedri'nin er ya da geç ona bir kadınla beraber olup olmadığını sormasıydı. Oysa Tahir'in bu gibi işlere ayıracak ne zamanı ne de parası vardı. Onun arkasında kapı gibi bir Aslı yoktu. Hayatın acımasız gerçeklerine çok küçük yaştan beri aşina olan Tahir, okul biter bitmez küçük bir memuriyetle işe başlamıştı. Ama hiç de gocunmuyordu.

Bir gün yine bahçedeyken, Ali Bedri yanına geldi. Sesinde hiçbir alay unsuru olmadan, "Tahir, bütün bu kitapları okuyor musun sen sahiden?" diye sordu.

"Tabii ki okuyorum. Sen laf olsun diye mi elimde gezdiriyorum sandın yoksa?"

"Sen vallahi delirmişsin, insan mecbur olmazsa bu koskoca ciltleri okuyup kafasını büsbütün karıştırır mı hiç?"

Tahir sesinden bozulduğunu belli etmemeye çalışarak, "Ben senin okuduğun kitapları tenkit ediyor muyum? Ne buluyorsun bunlarda diyor muyum ki?" dedi.

"Ama onlar başka. Onlar hayatın kitaba yansıması. Hayatın tam kendisi. Onlar seven kadınlar, tutkular, heyecanlar hakkında. Yaşadıklarımız hakkında gerçek gibi bir şey yani."

"Ali Bedri, hayat sadece aşk meşk, tutku mutku değil. Uğruna canını vereceğin ideraller var. Vatan var. Bunların hiç mi önemi yok sence?"

"Bak Tahir kardeşim, dünyada canını vermeye değecek hiçbir ideral yoktur. Sen de bunu böyle bilesin. Vazgeç bu değiştiremeyeceğin konulara kafayı takmaktan, gününü gün et biraz. Kaplumbağa gibi kabuğunun içine çekilmiş somurtup duruyorsun."

Tahir cevap vermedi, Ali Bedri'nin kahkahalarını, Hilmi'nin yanına gidişini görmezlikten geldi. Ne okuduğunu anlamadan kafası başka yerde okur gibi yaptı.

Zaten artık Hilmi, Ali Bedri'nin has adamı olmuştu. İki genç Paris kadar olmasa bile yine de hareketli Pera gecelerine kendilerini kaptırmışlardı. Nerede sabah orada akşam. İkisinin de derdi hiç boş vakit geçirmeden gününü gün etmek, hayattan keyif almaktı. Ali Bedri'nin işe başlamaya hiç mi hiç niyeti yoktu ama vekâletteki görev için aracı olan baba dostu neticede Aslı'ya haber gönderdi. Yazılan nottaki ifade nazik ama kesindi. Genç adam işe hemen başlamazsa onun gibi nicelerinin kapıda beklediği çok açık bir dille belli edilmişti. Olan yine Aslı'ya oldu, o telaşlandı, o üzüldü ve yine o utandı. Ali Bedri de lütfen işe başladı.

İlk gününde kapıdan çıkarken görenler savaş alanına gidiyor zannedebilirlerdi. Arkasından Cennet sular döküyor, Aslı birbiri ardına dualar okuyup üflüyordu. Daha dünkü bebek devlet kapısında memur olacak, eli ekmek tutacaktı. Aslı tabii getireceği ekmekte değildi ama işe girmek erkekliğin en önemli adımlarından biri değil miydi? Ali Bedri o akşam alışık olmadığı için yorgun argın, süngüsü düşük eve geldi. Hemen Cennet şekerli bir kahve tutuşturdu eline. Aslı merak içinde ilk günün bütün ayrıntılarını duymak için karşısına oturdu.

"Nasıl geçti bakayım ilk günün evladım?" der demez oğlu lafı ağzına tıkadı.

"Anne hiç halim yok, sonra anlatırım" deyip kahvesini bile bitirmeden kalkıp Hilmi'yle buluşmaya gitti. İlk günler Ali Bedri için gerçekten zor oldu. Erken kalkmak, bütün gün kımıldamadan bir masa başında, kafayı kaldırmadan kâğıtlarla boğuşmak, yerinde duramayan genç adama tam bir zulümdü. Akşamları yine Hilmi'yle dolaşsa bile bir iki kadeh attıktan sonra uykusu geliyor, eğlencenin tam ortasında kalkıp eve dönmek zorunda kalıyordu.

* * *

Kasım ayı İstanbul'un en sevimsiz ayıdır. Ekim ayı daha kışa çok var dedirtecek güzel havalarla insanı kandırır ama kasım yağmur-çamur adamı hayatından bezdirir, bütün gün yorganı kafasına çekip yataktan çıkmak istemez. Bartolome diğer İstanbullular gibi bu tatsız aydan nasibini almış, zaten daralan içi büsbütün kararmaya başlamıştı. Ali Bedri'yi okul bittiğinden beri hiç görememişti. Okula doğru Pera'da yavaş yavaş yürüyordu. Yağmur dinmiş olmasına rağmen nem iliklerine kadar işliyordu. Çocuğun Paris'e gitmek istediğini bilmesine rağmen bu kadar uzun kalacağına ihtimal veremiyordu. Birden adımlarını sıklaştırdı, neredeyse koşar adım okulun kapısından bekçiye selam bile vermeden girdi. Doğru idari işlere girdi. Kimse kapıyı kilitlemediğinden, kolayca öğrencilerin kayıtlarının bulunduğu dolaba yöneldi. Kısa bir aramadan sonra istediğine ulaştı. Biri o sırada içeri girse de ne yaptığını sorsa cevap çok basitti, "Geçen sene mezun olan talebelerimden birinin adresi lazım oldu" deyiverecekti. Adresi cebindeki not defterine karaladı, her şeyi yerli yerine koyup kendini yine sokağa attı. Çıktığında yağmur çiselemeye başlamıştı ama geri dönüp şemsiyesini almak aklından bile geçmedi.

Ancak konağın kapısında, gelişinin hanıma haber verilmesini beklerken, iç çamaşırına kadar ıslandığını hissetti. Aslı şüpheli bakışlarla Bartolome'yi süzdü.

"Hanımefendi rahatsız ettiğim için çok özür dilerim. Ali Bedri'nin annesisiniz değil mi?"

Aslı da adamı tanır gibiydi. Bartolome hemen devam etti. "Kendimi tanıtmayı unuttum. Ben oğlunuzun hocası Mösyö Bartolome'yim. Hatırladınız mı?"

Aslı'nın yüzü birden sımsıcak bir gülümsemeyle aydınlandı. "Buyurun, buyurun. Siz oğlumdan yardımlarını esirgemeyen beyefendisiniz. Hatırlamaz olur muyum hiç? Buyurun efendim, sefa getirdiniz. Size ailece çok şey borçluyuz."

"Mezuniyetten sonra Ali Bedri okula hiç uğramadı. Merak ettik de ne olduğunu, neler yaptığını... Onu görebilir miyim acaba?"

"Siz önce içeri buyurun. Henüz işten gelmedi. Size hemen bir yorgunluk kahvesi getirelim. Siz istirahat buyurun. Cennet, beyefendinin paltosunu al hemen. Beklersiniz efendim. Buralara kadar zahmet etmişsiniz."

Bartolome çekingen adımlarla içeri girdi. Aslı onu alt kattaki küçük ama zarif misafir odasına kabul etti. Islak pantolonunun oturduğu kadife koltuğu da ıslatacağından korktuğundan kenara ilişti.

"İşten daha gelmedi dediniz, Ali Bedri çalışmaya mı başladı acaba?"

"Hiç çalışmaz mı, efendim. Hariciye Vekâleti'nde tercüman olarak çalışıyor" dedi Aslı göğsü kabara kabara. "Daha bir, bir buçuk ay oluyor. Paris'ten dönüşünün akabinde başladı."

"Paris'e de mi gitti?" dedi Bartolome.

"Tabii efendim. Paris'e de gitti, oralarda kaldı, bilgisini görgüsünü artırdı. Değil mi efendim, şimdiki gençler bambaşka. Her şey hakkında fikir edinmek istiyorlar, her şeyi bilmek istiyorlar."

Bartolome o sırada içinden, "Ben Ali Bedri'ye bu dünyaya açılan pencereyi göstermeseydim, zor her şeyi bilmek isterdi" diye geçirdi. "Gözleri yaşlı, sümüğünü bile çekemeyen o sıska oğlanı ben adam ettim de şimdi hamisini bir kerecik bile aramıyor" diye düşündü. Aslı devam etti, "Siz rahatınıza bakın lütfen, o da neredeyse gelir" deyip yabancı bir erkekle aynı odada olmasının doğru olmayacağını düşünerek Bartolome'yi yalnız bıraktı. Ara sıra Cennet gelip bir emri olup olmadığını soruyordu. Bartolome kaç fincan kahve içtiğini, kaç tane lokum yediğini bilemeden oturup durdu. Artık tatlıdan ve acı kahvelerden içi fena olmaya başlamıştı. Bir taraftan da çılgın Ali Bedri'nin nerelerde kaldığını düşünüyordu. Paris'e de gitmişti, işe de başlamıştı. Ama Bartolome'ye ne bir haber ne bir mektup, hiçbir şey göndermemişti. Kaç yıl bu oğlana emek vermişti kendisi. İçi öfkeyle kabarmaya başladı, okunup atılan gazete gibi, Ali Bedri Bartolome'yi hayatından silip atıvermişti. Aslı'yı bile görmeden, Cennet'e, çok geç olduğunu söyledikten sonra "Yine gelirim" deyip hızla konaktan çıktı.

İki hafta bekleyebildi. İçinden Ali Bedri'ye hem fena halde bozuluyor hem de onu görme arzusunu bir türlü yenemiyordu. Yine konağın yolunu tuttu. Bu sefer kapıyı Ali Bedri açtı. "Değişmiş" dedi içinden Bartolome, "Adeta kalantorlaşmış, kendinden zaten emin gözükürdü ama bu sefer kendini beğenmiş gibi olmuş". Ali Bedri pür şık giyinmiş, sanki eskisinden daha geniş gibi duran omuzlarının üzerine paltosunu atmıştı. Ali Bedri hayretini ve hafif memnuniyetsizliğini gizleyemeden:

"Mösyö Bartolome, siz? Hoş geldiniz" diyebildi.

"Ali Bedri!"

Birkaç saniye konuşmadan birbirlerine baktılar sonra Ali Bedri "Buyurun içeri mösyö, zaten annem de sizin geçende uğradığınızı söyledi. Buyurun, buyurun" dedi.

"Ama sen galiba dışarı çıkıyordun. Rahatsız etmek istemem Ali Bedri."

"Zararı yok efendim, daha vaktim var. Keşke daha erken gelseydiniz. Biraz Paris'ten bahsederdik."

"Benimle Paris'i konuşacakmış" dedi Bartolome kendi kendine. "Dünkü mızmız çocuk kendini benimle eş tutuyor ve Paris'i bana anlatacak!" Çocukluktan filan hiçbir belirti kalmamıştı oysa Ali Bedri'de, adeta gözeneklerinden özgüven ve bir nevi erkeklik fışkırıyordu. Bartolome göz göze gelmemeye çalışarak, "Belki bir başka zaman" diyebildi. "Senin daha fazla vaktin olduğu bir zaman konuşuruz. Ama on beş gün evvel uğradığımda valide hanım bahsetti, işe başlamışsın" dedi dayanamayarak, "tabii ondan da haberimiz olmadı. Maşallah çok mesuliyetli bir iş yapıyormuşsun, annenin dediğine göre".

Ali Bedri belli etmemeye çalışarak duvardaki saate göz atıp "Evet, öyle" dedi.

Bartolome genç adamın bir an evvel bu konuşmayı bitirip dışarıya fırlamak için can attığını anladı. Hiç istifini bozmadan: "Anlat bakayım neymiş bu çok önemli işler. Biliyorsun sen ve arkadaşların benim ilk talebelerimdiniz. Neler yaptığınızı, işlerinizde başarılı olup olmadığınızı, bu iş ortamlarına uyup uymadığınızı çok merak ediyorum. Bakalım bizler sizi iyi yetiştirdik mi, yoksa yetiştiremedik mi?"

Ali Bedri isteksiz isteksiz konuşmaya başladı. "Aslında doğruyu söyleyecek olursam anlatılacak pek bir şey yok ki mösyö. Evet, iş mesuliyetli olabilir ama çok fazla geliyor bana. Yap yap bitmiyor."

"Yani çok mu fazla yükleniyorlar sana?"

"Her gün sabahtan akşama masa başında canımı çıkardığım yetmiyormuş gibi bir de akşamları elimdeki yazı bitene kadar oturuyorum."

"Tam olarak ne yapıyorsun ki?"

"İşte, malum şeyler. Resmi belgeleri tercüme ediyorum. Aslında iş çok sıkıcı. Fenalık geliyor üstüme, sanki yaptıkça ürüyor gibi."

"Anlıyorum. Böyle giyinip hazırlandığına göre anlaşılan tatil günlerinde de seni çalıştırıyor bu adamlar."

Ali Bedri, Bartolome'nin pek hoşuna gitmeyen bir edayla bıyık altından gülerek "Yok, tatillerde çalıştırmıyorlar" dedi.

Bartolome cevap vermedi. Aklına Fransız sefaretindeki boncuk gözlü, kimsenin ne iş yaptığını bilmediği Rambert denilen adamla yaptığı konuşma gelmişti. Öyle ahım şahım bir vazifesi olmamasına rağmen herkes ona karşı biraz çekingen davranıyordu. Rambert, hiç beklemediği bir anda:

"Başkalarının günah çıkarmasını dinlemek pek size göre bir iş değilmiş ha, Bartolome?" deyivermişti ansızın.

Bartolome o kadar hazırlıksız yakalanmıştı ki kanı donmuş ve cevap verememişti. Zaten Rambert soru sormuyordu, sadece kimsenin bilmediği bir gerçeği tekrarlıyordu. Bakışlarını Bartolome'den ayırmadan devam etmişti:

"Bilgi, ne konuda olursa olsun bilgi, daima değerlidir Bartolome ve bilgi akışının merkezinde bulunmak, kabiliyetsiz Türklere ömrünün sonuna kadar Fransız dilinin inceliklerini öğretmekten, inanın bana, çok daha ilginç bir meşgale."

"Neden olmasın?" diye düşündü Ali Bedri'ye bakarak. Bu kendini beğenmiş, vefasız, kendini bir halt zanneden ukaladan pekâlâ faydalanabilir, bu sayede sadece basit bir Fransızca öğretmeni olmanın getirdiği yeknesaklıktan kurtulur, Rambert gibi çekinilen, saygı duyulan bir şahsiyet olabilirdi.

"Belki ben sana yardımcı olabilirim."

Ali Bedri alaycı bir şekilde gözlerini eski öğretmenine dikti: "Nasıl olur ki mösyö, bana nasıl yardım edebilirsiniz?"

"Okuldaki dersler bitince çok boş vaktim kalıyor, ben de sıkılıyorum. Başka bir meşgalem olsa çok iyi olurdu. Sana elimden geldiği şekilde yardım edebilirim."

"Ama..."

"Aması yok canım. Sen işten çıkarken belgeleri yanına alırsın, bana getirirsin, ben de senin için tercüme ederim."

Ali Bedri Bartolome'nin ilgi ve tutkusuna beklediği şekilde cevap vermemişti ama hayatından büsbütün kopmasını göze alamıyordu. Ali Bedri kendine ihtiyaç duyduğu takdirde belki iki taraflı kazanç sağlayabilecekti. Genç adamın yıllar geçtikçe parmakları arasından kayıp gittiğini görmek Bartolome'ye ıstırap veriyordu.

"Ama izin vermezler ki benim işimi başkasının yapmasına..."

"O zaman amirlerine söylemezsin, olur biter."

İlk defa belgeleri evrak çantasına koyduğunda Ali Bedri'nin eli ayağı birbirine dolanmıştı ama kısa sürede alıştı. Daireden getirdiklerini Bartolome'ye götürüyor, hocası tercüme edince de kendi el yazısıyla kopya edip amirlerine veriyordu. Bundan daha kolay bir şey olamazdı.

* * *

Çok geçmeden Ali Bedri ve Hilmi eskiden olduğu gibi günlerini gün etmeye tekrar başladılar. İkisi de gündüz işlerine gidiyorlar, akşam da Beyoğlu'nun kahvelerinden, birinde buluşuyorlardı. Hilmi'nin eniştesi Fuat ona çalıştığı bankada iyi bir iş bulmuştu. Hilmi ağzıyla kuş tutmasa bile kimsenin Fuat Bey'e karşı çıkacak hali yoktu. Hem böylelikle o da ele avuca sığmayan genç adama göz kulak olabiliyordu.

İki genç gitgide bulundukları meclislerin aranan simaları haline geldiler. Her yere davet ediliyorlar, gittikleri yerde de neşe kaynağı oluyorlardı. Özellikle Ali Bedri, Paris'teki deneyimlerinden sonra hanımlar arasında çok popüler olmaya başlamıştı. Ne çok yakışıklıydı ne çok uzun boylu; onu diğer genç erkeklerden ayıran fazla bir özelliği yoktu ama inanılmaz bir özgüveni vardı. Bir de tabii lodos yeşili gözleri.

"Biliyor musun Hilmi, istediğim her kadını elde edebilirim."

"O kadar kolay değil Ali Bedri, her kadın aynı değil ki hepsi senin tuzağına düşsün."

"Var mısın bahse? Tabii kaybetmekten korkmuyorsan."

"Varım, niye olmayayım? Görürsün gününü öyle birini seçeceğim ki dünyanın en yakışıklı adamı gelse bile kandıramaz."

"Tamam, kabul. Ben de merak ettim, kimmiş bu erişilemeyen kadın."

"Peki o zaman, eczanedeki kız diyorum. Bir itirazın var mı?"

"Hangi kız?"

"Canım sabah uğradık ya annemin ilaçlarını almak için, oradaki kız."

"Şimdi anladım, etine dolgun Yahudi kızını söylüyorsun. Ne olmuş ona?"

"İşte onu söylüyorum, bakalım o kızı elde edebilecek misin?"

Ali Bedri biraz durakladı, sonunda:

" Tamam, varım" dedi.

Rebeka'nın kitabı

Rebeka Avram'ın bindiği gemiye binip mukaddes topraklara doğru yelken açsaydı Ali Bedri'yle yolları hiç mi hiç çakışmayacaktı. Belki Filistin'de yepyeni bir hayat kurmak için gece gündüz çalışacaktı ama yine de hayatının efendisi olacak, kaderini kendi tayin edecekti.

Çocukluğunu da pek yaşayamamıştı. Önce annesini sonra da babasını birbiri ardından kaybedivermişti. Allah'tan teyzesi ve eniştesi Eczacı Yosef Efendi onu yanlarına alıvermişlerdi. Yıllarca çocuk özlemi çeken bu orta yaşlı karıkoca Rebeka'yı kendi evlatları yerine koydular ama hiçbir zaman el bebek gül bebek büyütmediler. Hiçbir şeyini eksik etmemeye çalıştılar, bu adeta emanet çocuğun başına bir felaket gelmesinden her zaman korktular, endişelendiler ama kendi küçük iki kişilik dünyalarına o kadar alışmışlardı ki pek sevgi vermeyi de beceremediler. Galata Kulesi'nin gölgesindeki ev ne kahkahalarla çınladı ne de kavga gürültüyle. Aşağıda eczane yukarıda ev, öyle yaşayıp durdular.

Rebeka ise gerçek anne baba nasıl olur bilmediğinden onlara teyze ve enişte demesine rağmen anne babasının yerine koymuştu. Ne kadar denerse denesin bir türlü annesinin yüzünü gözünün önüne getiremezdi. Zaten Rebeka üzülmesin, büsbütün kendini kötü hissetmesin diye evde bu dünyadan nasibini almadan göçen genç çiftin lafı dahi edilmezdi. Rebeka, teyzesine çok benzerdi. Onları gören ana-kız zannederdi. İkisi de yuvarlak hatlı ve orta boyluydular. Teyzesi onu iyi bir ev hanımı olarak yetiştirmeye özen gösterirken Yosef Efendi de eğitimiyle titizlikle uğraşırdı. Yosef evde devamlı okurdu hatta eczanede müşteri olmadığı zaman arka taraftaki bölümde idare lambasının ışığı altında gözleri sulanıp, ağrıyana kadar kitabı elinden bırakmazdı. Din bilgisi çok kuvvetliydi. Son yıllarda Avrupa'da enikonu kuvvetlenen Siyonizm akımına kendini tam manasıyla kaptırmıştı. Rebeka'yı da bu konularda bilinçlendirmeyi kendine misyon edinmiş, genç beyninde Filistin idealinin ışığını yakmıştı.

Rebeka'yı bir an olsun gözlerinin önünden ayırmıyorlardı. On beş yaşından beri eczanede Yosef Efendi'ye yardım ediyordu. İlaç şişelerinin yanına hiç kimseyi sokmayan Yosef Efendi Rebeka'ya güveniyordu. Kızcağız tezgâhın gerisinde, elinde kocaman havan, dudaklarını ısıra ısıra ilaçları karıştırıyor, reçeteleri hazırlıyordu. Elleri küçücüktü, sabahtan akşama kadar çeşitli kimyasal maddelere dokunmaktan alerjisi yaz kış geçmezdi ama yılmadan her sabah merdivenlerden iner, mermer tezgâhı bir gece evvel pırıl pırıl yapmasına rağmen tekrar ıslak bezle siler sonra da renk renk dizili kavanozların tozunu alırdı. Derken Yosef Efendi de iner, kapının kilidini açar ve kepengi kaldırırdı. Öğlen bile kapatmazlar, biri yemeğini yerken diğeri dükkânda dururdu. Yosef Efendi, "Çalışmak, Tanrı'ya ibadetin en üstün halidir" derdi. Zaten Rebeka bütün gün evde teyzesiyle karşılıklı otursa herhalde sıkıntıdan ölürdü.

Yosef Efendi'nin himayesinde başka bir genç daha vardı. Avram, yani Yosef Efendi'nin rahmetli ağabeyinin oğlu. O da hayatta yapayalnız kalmıştı. İş çıkışı akşamları gelir, amcasının ailesiyle yemek yer, sonra da bekâr evine dönerdi. Yemekler sessizce yenip bitince kadınlar sofrayı toplar, sonra da Yosef adeta ders verircesine iki genci karşısına oturturdu. Konu hep mukaddes topraklardı. Yosef kitaplardan, broşürlerden başlar, sonra da daha önce Filistin'e gidip yerleşen akrabalardan gelen mektuplara kadar yüksek sesle okur, dikkatli dinleyip dinlemediklerini anlamak için de ara sıra göz ucuyla bakarak gençleri kontrol ederdi. Kulağa masal gibi gelen bu yepyeni hayatın hayaline Rebeka da Avram da yavaş yavaş kendilerini kaptırıyorlardı. Nadiren göz göze geldiklerinde dinlediklerini onaylar gibi sıcacık ve dostane birbirlerine bakıyorlardı. Aslında hiçbir şey açık seçik söylenmemesine rağmen Rebeka da, Avram da, Yosef de, karısı da çocukların evleneceğini biliyorlardı. Her şey bu kadar uygun olabilirdi. İkisinin de anası babası, paraları yoktu. Rebeka'nın drahoma verecek hiçbir imkânı, Avram'ın ise doğru dürüst bir mesleği bulunmuyordu. En iyisi çocukların buralardan kurtulması için, gidip yepyeni bir hayat kurmalarıydı. Huyları pek benzemiyordu ama hangi karıkoca benzerdi ki!

Rebeka çok ama çok ağırbaşlı bir kız olmuştu. Daha on yedisindeki genç kız kendini şimdiden evlilik sorumluluğunu almış kırk yıllık evli barklı bir kadın gibi hissediyordu. Avram ise hayat doluydu. Ara sıra kendince espriler yapar, amcası "zevzeklik etme" deyince de ona bile alınmadan susar otururdu. Çocuklar yuvarlanıp gidecek, birbirlerine alışacaklar, Yosef ve karısı da gözleri arkada kalmadan, doğru bir iş yaptıklarına emin olarak kendilerine emanet edilen çocuklara karşı vazifelerini tamamlamanın rahatlığıyla Tanrı'nın katına çıkmayı huzurla bekleyeceklerdi.

Sonunda yine işler Yosef'e kaldı: Ona başvurup, bunun eline biraz para verip, ona yalvarıp, hatırlı müşterilerini araya koyup Avram'a Hayfa'ya giden vapurda bir yer ayarladı. Avram yerleşir yerleşmez hemen Rebeka'yı yanına aldıracaktı. Ve tabii orada evleneceklerdi. Böylece de her gece dinledikleri uzak diyarda yeni hayatlarına başlayacaklardı.

Avram Hayfa'ya doğru yola çıktıktan sonra Rebeka'nın günlerinde pek fazla değişiklik olmadı. Eczanedeki işlerine aynen devam etti. Yeknesak gününe sabah yedi buçukta yine mermer tezgâhı silerek başlıyor, bu hiç bozulmayan saat gibi işleyen düzen akşama kadar devam ediyordu. Tek bir farkla: Akşamları altıda Avram artık gelmiyordu.

İşte bu sıralarda perşembeleri yeni bir müşteri gelmeye başladı. Ama her perşembe aynı saatlerde. Bu yeni türeyen genç adam teneke kutuda satılan o boğaz pastillerinden alıyordu her seferinde. Önceleri arkadaşıyla beraber geldi. Sonraları ise Rebeka gözucuyla baktığında alışveriş sırasında arkadaşının dışarıda beklemeye başladığını gördü. Genç adamın biçiminde kılığında öyle fazla dikkat çeken bir şey yoktu ama gözleri lodosta Boğaz'ın aldığı renk gibi mavi yeşil karışımı bir şeydi. Rebeka ilk geldiğinde onu da fark etmedi ama kapıyı dışardan kaparken gördü ve aniden içinde bir huzursuzluk, bir tedirginlik hissetti. Hiç bu renk göz görmemişti. Sanki insanoğlunda bulunmaması gereken bir renk gibi geldi genç kıza.

O anda Avram'ın gözleri geldi aklına. Düşündü taşındı, bir türlü rengini çıkaramadı. Avram da Yosef Efendi ve ailenin bütün fertleri gibi kalın gözlükler takardı. Rebekacık Avram'ı hiç gözlüksüz görmemişti. Karaya ayak basar bakmaz nişanlısının gözlüğünü çıkartıp iyicene bakmaya söz verdi kendi kendine. Birazcık da "insan kocasının gözünün rengini bilmeden bütün bir hayatı nasıl geçirir" diye hayıflandı.

Mahallede kutsal topraklardan haber gözleyen sadece Rebeka değildi. Kapı komşuları Ester de her gün Avram'la aynı vapurla giden kocasından bir ses seda bekliyordu. Yosef Efendi ve ailesi pek kimselerle görüşmeden, içlerine dönük hayatlarını sürdürdüklerinden, Rebeka'nın kan ya da evlilik bağı olmadan görüştüğü sadece Ester'di. Bazı akşamlar iki genç kadın Rebeka'nın yatağının üstüne oturup, geleceklerini gözlerinde canlandırmaya çalışırlardı. "Çöl gibi bir yer diyorlar" derdi Ester sanki ömründe çöl görmüş gibi. "Hiç yağmur yağmıyormuş" diye eklerdi Rebeka... taa Yosef Efendi'nin misafirin artık gitme zamanı geldiğini bildiren manalı öksürüğünü duyana kadar. Neyse ki Ester fazla beklemek zorunda kalmadı ve kocası onu aldırttı.

*　　*　　*

İki ay sonra Rebeka ve Yosef eczanede işlerine dalmış çalışırken Ester'in annesi felaket tellalı gibi kapılarında bitiverdi. Kızından gelen mektup elindeydi. Lafa nasıl gireceğini bilemeden, önce Ester ve kocasının çektirdikleri fotoğrafı uzattı teyzeye, bir taraftan da mektubu yüksek sesle okumaya başladı. Mektubun sonlarındaki bir paragraf Olga Teyze'nin kanını dondurdu. Yosef'le yalnız kalana kadar gözlerinden gelen yaşları tutamadı. Rebeka "Neyin var?" dediğinde, "Hiç, galiba nezle oluyorum" diye cevap verdi. Üç gece ne Olga'yı ne de Yosef'i uyku tuttu. Kıza söyleseler olmaz, söylemeseler hiç olmazdı. Her zaman felsefe yapan Yosef bu sefer yaya kalmıştı. Yirmi yaşındaki bir kıza "Kusura bakma senin nişanlın limandan ayrıldıktan üç gün sonra ilk tanıştığı kadınla evlenmiş, ama dert etme" mi diyeceklerdi? Sonunda ellerinden geldiği kadar meseleyi yumuşatmaya çalışıp Rebeka'nın gözünün içine bakmamaya gayret ederek bir perşembe sabahı talihsiz haberi kızcağıza söyleyiverdiler. Rebeka'nın aynı gün hayatlarından tamamıyla çıkacağını asla akıllarına getiremezlerdi.

Rebeka o meşum perşembe günü kahvaltıda haberi duyduktan sonra bir kelime dahi sarf etmedi. Teyzesi ve eniştesi de ne diyeceklerini bilemediklerinden suskun kaldılar. Her gün tekrarladığı hareketlerini sanki hiçbir şey değişmemiş gibi aksatmadan yapıyordu. Bir gün önceki gibi eczaneye indi. Yine elinde bez, mermer tezgâhı parlatmaya koyuldu. Öğle yemeğinde Olga Teyze'nin lezzetli tavuk çorbasını iştahla kaşıkladı. Ağzından tek kelime dahi çıkmadan müşterilere hizmet etti. Bir ara Yosef "Bu kız herhalde bir daha hiç konuşmamaya yemin etti" diye düşündü.

Akşama doğru gözü ara sıra dışarıya takılıyor sonra da elindeki işi bir an önce bitirmesi lazımmış gibi yaptığına dönüyordu. Bir iki defa Yosef konuşmaya yeltendi ama her ağzını açmaya kalktığında aklına Avram'la ilgili bir şey geldiğinden kendi kendine söylenmeye başladı. Arkasını dönse bile Rebeka'nın suçlar gibi bakışlarını sırtında hissediyordu.

Saat beş civarında Rebeka'nın huzursuzluğu gözle görülür bir hal almaya başladı. Yosef aslında böyle şeylerin farkına varmazdı da bir türlü geçmek bilmeyen o gün tüm ailenin unutacağı cinsten değildi. Tam eczaneyi erken kapatayım derken genç bir adam teneke kutudaki boğaz pastillerinden istedi. Yosef her perşembe gelen aynı adam olduğunu fark etmeden pastili verdi, parayı aldı ve içerideki küçük odaya geçip teneke kutusundan çıkardığı günün hasılatını saymaya koyuldu. Genç adam kapıya doğru yürürken eniştesinin odaya gitmesinden faydalanan Rebeka da birden kapıya yöneldi. Adamın yaptığı tek şey kafesin kapısını açar gibi kapıyı açmak oldu. Dışarı çıktıklarında sanki bu anı uzun zamandır beklermiş gibi kızın yüzüne baktı. İkisi de hiç konuşmadan eczaneden uzaklaşmaya başladılar.

Yağmur başladı. Rebeka usulcacık şalını başına örttü. Genç adamın hızlı adımlarına ayak uydurmakta güçlük çekmeye başlamıştı. Birden arkasına dönüp baktı, sanki eniştesi arkasından koşa koşa gelecekmiş gibi. Ama eniştesinin yerine genç adamın eczane ziyaretlerine refakat eden arkadaşının şaşkın bakışlarıyla karşılaştı. Bir daha da geriye bakmadı. Ansızın Cadde-i Kebir'e çıktıklarını fark etti. İki taraflarındaki süslü mağazalar, lokantalar ışıklarını yavaş yavaş yakmaya başlamışlardı bile.

Kendini hiç tanımadığı, ismini cismini bilmediği birini takip ediyor gibi hissetmiyordu Rebeka. Cadde-i Kebir'de bir gezintiydi sadece bu. Biraz hızlı yürüyorlardı ama ne çıkar. Zaten adam hırsız da olsa katil de olsa ne fark edecekti ki. Sanki ruhu vücudunu terk etmiş gibiydi. Başka bir kadını uzaktan seyrediyordu artık. O kadın da bu daha önce hiç konuşmadığı adamın peşinden tıpış tıpış gidiyordu. Avram'ın apar topar başka bir kadınla evlenmesi haberini o kadar beklemiyordu ki hâlâ hayal ya da rüya gördüğünü zannediyordu. Kendini hatırlayabildiğinden beri bu yol ona çizilmişti. Bütün varlık sebebi önce küçük ailesiyle sonra da kutsal topraklarda Avram'la birlikte kuracakları hayatla sınırlıydı. Hayatındaki tek sebep birden, kendiliğinden, Rebeka'ya sorulmadan, fikri alınmadan, sen ne dersin denmeden silinip gidivermişti.

Bir an için lodos gözlü adam göz önünden kayboluverdi. Etrafına bakınca sokağa saptığını anladı Rebeka. Adam Venediklilerden kalma kirli sarı renkli evlerin birinin önünde duruyor, ceplerinde bir şeyler arıyordu. Rebeka'ya nazik bir şekilde buyurmasını işaret etti. Yine sessizce geniş merdivenlerden yan yana çıkmaya başladılar. Anahtarlar elindeydi. Gümüş bir zincir üzerinde dört tane anahtar duruyordu. Denediği ilk iki anahtar kapıyı açmadı. Üçüncüsü sessizce deliğe uydu. Önce adam içeriye girdi. Rebeka onu takip etti. İçerisi dışarıdaki sevimsiz hava yüzünden saat sadece altı civarında olmasına rağmen karanlıktı. Adam durdu. Aynı kibritle önce kenardaki mumu sonra da tabakasından çıkardığı sigarayı yaktı. Hâlâ holde duruyorlardı. Adam kızı bekleme odasına benzeyen, sandalyeler dizilmiş bir odaya doğru yönlendirdi. Yan yana yüksek bir kitaplığın karşısına oturdular. Gözü yavaş yavaş alaca karanlığa alışınca tozlu kitapların isimlerini okumaya çalıştı Rebeka. Kitaplığın tam yanında Sorbonne Tıp Fakültesi'nden alınmış bir diploma vardı. Zar zor Enver Hilmi adını okuyabildi.

Birden genç adam elinden tutarak oturduğu iskemleden usulca kaldırdı. O anda yağmurdan ıslanan elbiselerinin tenine soğuk soğuk dokunduğunu hissetti. Adamın yüzüne bakmadan gözlerinin ıslak elbiseden tenine bir sıcaklık yaydığını hissedebiliyordu. Önce başından şalı çekti. Düzgünce katlayarak bir iskemlenin üzerine koydu. Sonra teker teker bütün üzerindekileri Rebeka çırılçıplak kalana kadar çıkardı. Tombul bedeni çıplakken daha da şişman duruyor gibi geldi genç kadına. Adeta kendini görmemek için gözlerini sıkıca yumdu. Ama hâlâ kendini görebiliyordu. Demin oturduğu sandalyede oturur gibiydi hâlâ ve gözlerini ne kadar sıksa kendini görebiliyordu.

Adam usulca Rebeka'yı halının üzerine yatırdı, çabuk çabuk üzerindekileri çıkarıp yanına uzandı. Biraz sonra ağırlığını üzerine tam vermeden vücudunun daha önce işlevini bilip de aklına fazla getirmediği kısmına bütün gücüyle dayandı. Canı Ester'in bahsettiği kadar acımamıştı ama adamın gittikçe şiddetlenen gidip gelmelerini anlamakta zorluk çekiyordu. Ama birden ta içinden bir şeyler kopuyormuş gibi oldu. Boğuluyormuş da adam onu kurtaracakmış gibi adama yapıştı. Sonunda içindeki titreme bitti ve Rebeka koma gibi bir uykuya daldı. Ta ezan sesini duyana kadar...

Yattığı yerde dönmeye kalkıştığında neredeyse yere düşecekti. Etrafına baktığında çevresinde cam dolapların içerisinde sıra sıra ilaçlar olduğunu gördü. Vücudunun her tarafı sert muayene masasında yatmaktan tutulmuştu. Lodos gözlü adam onu usulca soyduğu gibi usulca da giydirmişti. Güçlükle masadan indi. Bacaklarının üzerindeki kaslar alışılmamış hareketten dolayı tutmuyor gibiydi. Adam her şeyi iyi yapmıştı da çoraplarından tekini tersyüz giydirmişti. Rebeka istemeden gülümsedi.

Apartmanda çıt çıkmıyordu. Garip ama Cadde-i Kebir'in uğultusu bile duyulmuyordu. Rebeka henüz Ali Bedri'nin bir yerlerde fazla duramadığını öğrenmemişti. Adamın kendisi uyanmadan saatler önce gittiğini nereden bilecekti ki!

Öğle ezanı okunduğu sıralarda kapının yavaş yavaş vurulduğunu işitti. Evindeymiş gibi gitti kapıyı açtı. Karşısında lodos gözlü adamla eczaneye gelen genç duruyordu. Buyur etti adamı içeri. Ama kendinden öyle emin bir sesle söyledi ki kendisi bile şaşırdı. Sanki başkasının sesi gibi geldi genç kadına. Gelen adam kendini Hilmi diye nazikçe tanıştırdıktan sonra bekleme odasına doğru yöneldi. Adam oturunca mecburen Rebeka da oturdu. Adam kibar kibar apartmanın doktor olan rahmetli babasına ait olduğunu, peder bu dünyadan göçtükten sonra boş kaldığını, kiraya vermek ya da satmak arasında tereddüt ettiklerini uzun uzadıya anlatıyordu. Tabii Rebeka bu eski muayenehanenin Hilmi ve Ali Bedri tarafından başka amaçlarla kullanıldığını anlamadan dikkatle dinledi. Ansızın geldiği gibi Hilmi yine ansızın müsaade isteyip gitti. Rebeka kapıyı arkasından kapattı ve yine aklına ne açlık ne de susuzluk gelerek oturdu biraz önce kalktığı iskemleye.

Yine akşam olmaya başladı. Genç kadın tam yirmi dört saat bu dört duvar arasında yapayalnız, adeta bir garip rüya ya da bilinmeyen bir âlemde gibi yaşamıştı. Kapıda bir anahtar sesiyle kendine geldi. Ayağa kalkıp kapıya doğru yürüdü. Karşısında lodos gözlü adam duruyordu ve gözlerinin içi muzip bir ifadeyle gülüyordu. Kulağa hoş gelen ahenkli bir sesle ilk defa konuştu genç adam.

"Gel" dedi, "Gecemin sessiz kadını, Leyla." Ali Bedri derin bir nefes aldı. "Evet, Leyla" diye devam etti, "Gidip annemin elini öpelim. Zevcem olacaksın."

Tahir'in kitabı

Aslı durumun vahametini hiç anlamadan, "Ne demek istiyorsun 'bu akşam gidiyorum' diye Tahir Bey oğlum?" dedi

"Durum son derece açık efendim. Vekâletten Selanik'te bir yer boşaldığını söylediler, gider misin dediler, ben de giderim dedim."

"Ama böyle birdenbire olur mu? Ali Bedri'ye söyledin mi? Konuştun mu?"

"Konuşamadım. Dediğim gibi her şey o kadar ani oldu ki... Bu akşam gelmemin sebebi de bu zaten. İkinize de veda etmek."

"Ali Bedri evde değil, ne zaman geleceği de belli olmaz bilirsin. Hemen mi gitmen lazım?"

"Maalesef hemen gitmemi istediler."

"Hay Allah, gördün mü, çok üzülecek. Sen ona kardeşten bile yakınsın. Biliyorsun değil mi?"

Aslında mezuniyetten sonra Tahir ve Ali Bedri daha az birlikte olmaya başlamışlardı. Paris'ten döndükten sonra Ali Bedri'ye bir haller olmuştu. İşi gücü genç ve güzel kadınlarla her gece âlemlerde sabahlamak oluyordu. Tahir ise büsbütün içine kapanmış, sabahlara kadar çay içip kitap okuyordu. Eskiden Aslı Hanım'ın konağının arka bahçesine bir masa atılır, havanda dövülmüş nane ve kuyudan çekilen suyla yapılan buz gibi limonatayı içen delikanlılar adeta sarhoş olup her şeye gülüp geçerlerdi. O zaman da geçmişleri, büyütülmeleri, mizaçları farklıydı ama her ikisi birbirine içten bağlıydı. Fakat okul bitince aralarındaki kıvılcım az da olsa sönmeye başlamıştı. Tahir hiç durmadan çürüyen imparatorluğun istikbali hakkında konuşmak istiyordu. Tabii bu da Ali Bedri'nin canını baygınlık verecek kadar sıkıyordu. Dolayısıyla Tahir ne zaman Ali Bedrilere gelse bir süre sonra kendini Aslı'yla otururken buluyordu.

"Tahir Bey oğlum" dedi Aslı "kendini oradan oraya atacağına burada oturup istikbale yönelik bazı kararlar alsan daha iyi olmaz mı? Her ikiniz için söylüyorum, Ali Bedri'nin de bir farkı yok, o da başka türlüsü, sabah ezanı okunmadan eve gelmiyor. Her gece kulağım kirişte yatıyorum. Gece kaç kere kalkıp odasına gelmiş mi diye bakıyorum. Ne lüzumu var? Kararını versin, helal süt emmiş uygun bir genç hanım kız bulalım, evlensin. Ama ben ne zaman bu mevzuyu açsam, o lafı değiştiriyor."

Tabii ki Aslı aynı günün gecesinde Ali Bedri'nin asla uygun bulmayacağı bir genç hanımı karısı olarak eve getireceğini hiç mi hiç aklından geçirmiyordu.

"Ben de evlenmeyi düşünmedim değil, efendim" dedi Tahir, "Düşündüm de, durumu siz de biliyorsunuz. Babam tekaüt olduktan sonra annemle birlikte İstanbul'a döndüler. Ev küçücük. O evi anam ve babamla paylaşma fedakârlığını hangi kadından bekleyebilirim ki? Sonra maaşım çok düşük, nasıl aile geçindireyim ki? Görüyorsunuz benim vaziyetim evliliğe uygun değil."

Aslı bir an durdu, sonra "Oğlumu görmeden gitmen fena oldu" dedi.

Tahir hiçbir şey diyemedi. Aslı'nın elini alıp öptü, başına koydu. Topukları üzerinde dönüp arkasına bakmadan odadan çıktı.

* * *

İşin esasında o gün Ali Bedri'nin aklına en son gelecek insan herhalde Tahir'di. Rebeka'nın hâlâ apartmanda olduğunu gören Hilmi soluğu Ali Bedri'nin çalıştığı yerde almıştı. Merdivenleri bir koşu soluk soluğa çıktı. Odaya girdiğinde nefes nefeseydi. Nuh'u görmüş gibi duran iki kâtibin kendisini baştan aşağıya süzmesine aldırmadan Ali Bedri'nin koluna yapıştı.

"Hilmi! Nereden çıktın, ne oldu?" diye muzip muzip sordu Ali Bedri.

Hilmi, ihtiyarları kastederek, "Bir saniye dışarıda konuşabilir miyiz?" diye sordu.

"Tabii de, bir fevkaladelik mi var?"

"Yok canım. Ama haydi, dışarı gidelim be kardeşim."

"Ne oluyor Hilmiciğim? Nedir bu muamma?"

"Gitmemiş!"

"Ne gitmemiş? Ne diyorsun yahu sen?"

"Kız. Eve götürdüğün kız gitmemiş."

"Sahi mi? Peki sen nereden biliyorsun?"

"Nereden mi? Buraya gelmeden az önce oraya gittim de ondan biliyorum."

"Pekiyi, durup dururken sen niye oraya gittin?"

Hilmi neredeyse özür diler gibi, "Belki benim de bu akşam bir misafirim olabilir de onun için şöyle etrafı bir kolaçan edeyim demiştim".

"Peki ben n'apıcam şimdi?"

"Ne bileyim ben be birader?" diye omuzlarını silkti Hilmi, "Belki de nikâhına alırsın, ha?"

Ali Bedri birkaç saniye önüne bakarak düşündü, sonra "Biliyor musun birader, o da fena fikir değil" dedi.

"Deli misin kardeşim, ben latife ediyorum. Sen de öyle, değil mi?"

"Aslında ben şaka etmedim be Hilmi. Neden olmasın, sessiz sedasız bir kız işte. Hem ben kaçırmadım ki, kendi rızasıyla arkamdan öyle tıpış tıpış geldi."

"Tıpış tıpış geldiğine göre yine kendiliğinden tıpış tıpış gider işte. Ben vallahi şaka ettim evlenirsin diye. Hem sonra bahsi sen kazandın, tamam değil mi yani? Sana Beyoğlu'nun en pahalı lokantasında yemek ısmarlayacağım. Cabası da benden. Tabii ki evlenmeyeceksin o kızla."

"Neden olmasın yani?"

"Neden olsun ki Ali Bedri? Sadece bahse girmiştik. Sen 'istediğin herhangi bir kadını elde ederim' demiştin. Onun için her Allah'ın perşembesi eczaneye gittik. Sen kıza melül melül baktın. Sonunda zavallı kızı baştan çıkardın."

"Anlamadığın bir şey var Hilmi, kız sanki ömür boyu beni bekliyormuş gibiydi. Beni takip ederken yolda hiçbir kelime söylemeden geldi." Ali Bedri daha kararlı bir sesle devam etti: "Yok, yok, eminim bu kız hakikaten bütün ömrünce beni beklemiş. Nasıl gerisin geriye göndereyim ki?"

"Ali Bedri" dedi Hilmi. "Bana ne söylediğini bilmiyorsun gibi geliyor. Hele annen senin gayrimüslim bir hanımla evlenmeni ölse kabul etmez benim bildiğim. O sana Kafdağı'nın sultanının kızını bile az görür".

"O zaman Hilmi, anama zamanı gelene kadar gelininin gayrimüslim olduğunu söylemeyiz. Tamam mı?" deyip arkasına bakmadan, mesai arkadaşlarına gideceğini söylemeden, Hilmi'yi de ağzı açık şaşkın bir şekilde bırakıp çekip gitti.

* * *

Apartmandan çıkınca hemen bir araba buldular. Yolda yine konuşmuyorlardı. Arabacı onları köprünün dibine kadar bırakabildi. Ali Bedri inerken yardım etmek için elini Rebeka'nın eline uzattı, Rebeka da ona sıkıca tutunarak indi. Sonra yavaş yavaş köprüde yürümeye başladılar.

Köprünün iki yakası da Avrupa tarafında olmasına rağmen yine de iki kıtayı ayırır gibiydi. Bir tarafta Galata Kulesi, kiliseler geride kalırken karşısındaki minarelerin ihtişamı Rebeka'yı hafif bir ürpertiyle karşılıyordu. Köprüye ayağını attığında bu yolun dönüşü olmayacağını tam manasıyla anladı. Avram'ın ihanetinden sonra aynı yeknesak, heyecansız, gayesiz hayatı yaşayamayacaktı da, bu yolun da nereye varacağı tamamen meçhuldü. Haliç Rebeka için iki dünyayı ya da iki hayatı birbirinden ayıran bir okyanustan farksızdı.

Köprünün öbür yakasına geldiklerinde Ali Bedri araba çevirmeye çalıştı ama Mısır Çarşısı esnafı dükkânlarını kapatıp evlerine dönmeye çalıştıkları için ancak uzun süre bekledikten sonra bir tane boş araba bulabildiler. Rebeka Müslüman mahallesine en son ne zaman geldiğini düşünmeye çalıştı. O kadar olmuştu ki bir türlü hatırlayamadı. Arabaya oturduklarında yorgunluktan bütün kemiklerinin ağrıdığını hissetti. Arabanın sallanması beşikte sallanır gibi geldi genç kadına. Çok geçmeden başını Ali Bedri'nin omzuna dayadı ve uykuya daldı. Öyle ki üç katlı görkemli konağın önüne geldiklerinde Ali Bedri onu kucaklayarak indirebildi.

Kapıyı yaşı ihtiyar mı genç mi pek belli olmayan beyaz yemenili bir kadın açtı. Sahanlıktan yukarıya çıkan geniş merdivenlerin birinci katında ise birliklerini teftiş eden bir başkumandan edasıyla bir sultan gibi vakur Aslı duruyordu. İnce, uzun parmaklı elini tırabzanın üzerindeki kristal fanusa dayamıştı. Rebeka birden böyle bir kadının resmini Yosef'in kitaplarından birinde gördüğünü hatırladı: Saçları beline kadar gelen kadın elinde bir dünya tutuyordu. Etten kemikten yapılı bu kadının saçları ise omzuna düşen ipek bir eşarpla örtülüydü.

* * *

Tahir'in Selanik'e varması Rebeka'nın yolculuğundan daha uzun sürdü, hem de aynı derecede yorucu oldu. Ne yazık ki Tahir'in karşılaştığı manzara Rebeka'nınki kadar etkileyici değildi. İkinci mevkideki kompartımanında boğucu sıcakta geçirdiği iki gün ve gece Tahir'i bunaltmaya yetmişti. Bir de babalarından kalan mirası bir türlü paylaşamayan iki kardeşin bitmeyen kavgaları Tahir'in sinirlerini iyice germeye yetti.

Selanik, Ege Denizi'nin kuzeyinde kültürel bir merkez ve yeraltındaki siyasi hareketlerin odağı, mücevher gibi bir şehirdi. Ona rağmen ilk birkaç gün Tahir bu güzelliklerin farkına varamadı. Bütün pansiyonlar dolu olduğu için neticede asık suratlı bir pansiyon sahibinin merhametine kendini terk etmek zorunda kaldı.

Ağlar gibi bir sesle "Hiç tek kişilik odanız kalmadı mı?" diye sordu.

"Bak efendi, ya odayı tutarsın ya da çeker gidersin. Başka oda moda yok."

"Tamam anladım birader. Ama ne olur sandığımı başka bir yer bulana kadar burada bırakmama müsaade edin." Adam zorlukla ikna oldu.

Avlunun etrafındaki on iki benzer odadan biri olan Tahir'in odası hem küçüktü hem de at pisliği kokuyordu. Oda arkadaşı gelmeden Tahir pansiyonu alelacele terk etti.

Yorgundu, henüz yıkanamamıştı. Biraz hava alıp soluklanmak için kendini güç bela sahildeki kahvelerden birine attı.

Biraz sakinleşip acı kahvesini yudumlarken doğru düzgün bir yeri nasıl bulacağını düşünüp duruyordu. Bir ara yan masada heyecanlı heyecanlı iki siville konuşan yüzbaşıya gözü takıldı. Göz göze geldiler sonra genç adam hararetli konuşmasına geri döndü.

Yan masadakiler kalkarken yüzbaşı Tahir'in masasına doğru geldi ve samimi bir edayla "Hayırlı akşamlar efendim, Selanik'e hoş geldiniz" diye onu selamladı.

Birkaç gün sonra, aynı dairede çalışan bir mesai arkadaşının yardımıyla yaşlı bir dulun evinin giriş katında iki küçük oda buldu. Sıcakkanlı Rum kadın düşük bir ücret karşılığında ona yemek hazırlayıp temizliğini de yapacaktı. Tek başına yaşayan kadıncağıza aynı evde başka bir canın, başka bir nefesin olması çok cazip gelmişti. Gün oluyor pazara, çarşıya çıkmasa bir kulla iki laf edemiyor, pencerenin önünde geleni geçeni seyredip, gözü gibi baktığı sardunyalarının kuru yapraklarını temizleyip onlarla konuşuyordu. Ev çok mütevazı olmakla beraber pırıl pırıldı. Tahta yerler her gün mis gibi arapsabunu kokuyor, odasındaki yıkanmaktan renkleri solmuş eski kilim bile kolalanmış gibi dümdüz duruyordu. Bir bardak su bile istese Madam İfijenya tabağın altına kendi elleriyle ördüğü yuvarlak dantel parçasını koymayı unutmuyordu. Yaptığı yemekler ise abartıdan uzak ama yine de lezzetliydi. Aslında Tahir yemeği pek önemsemezdi, küçüklüğünden beri önüne ne konulsa itiraz etmemeye alışıktı.

Tahir'in yüzbaşıyla ikinci karşılaşması, yeni evinin dar kapısından kitaplarla dolu sandığını geçirmeye çalışırken gerçekleşti.

"Yardıma ihtiyacınız var galiba" dedi Yüzbaşı.

"Gerçekten de öyle" diye yanıtladı Tahir.

"Ne kadar ağırmış! Yoksa sultanın hazinesini mi boşalttınız?"

"Maalesef hayır. Nerede o şans bizde! İçinde çok az şahsi eşyam var, çoğu kitap."

"Yaa, demek çok okuyorsunuz."

"Okumaya çalışırım" dedi Tahir mahcupça, adeta suçüstü yakalanmış gibi.

Tahir'in Yüzbaşı'yla konuştuğunu duyan ev sahibesi Madam İfijenya dışarı fırladı:

"Tahir Bey, görüyorum ki yakışıklı Yüzbaşımız İhsan Beyimizle tanışmışsınız. İçeri buyurun, beyler. Dinlenin. Size birer yorgunluk kahvesi yapayım, iyi gelir."

"Hayrola, İfijenya Teyze, artık eve genç erkekler alıyorsun galiba!"

"Seni utanmaz seni! Onun söylediklerine bakma sen Tahir Bey, şaka yapıyor. Nasıl dersiniz siz, kurt kocayınca köpeklere maskara mı olur dersiniz ne?"

Tahir başını eğip gülümsemeye çalışarak "Estağfurullah Madam İfijenya" dedi. Yetmiş yaşındaki Madam İfijenya ile İhsan keyifli birer kahkaha attılar. Madam da yaşından beklenmeyen adeta şuh bir edayla taş mutfağın yolunu tuttu. "Bu İhsan Bey ne kadar rahat adam" diye geçirdi içinden. Yaşlı kadına bile bir anlık dahi olsa neler hissettirmişti kim bilir? Tahir, Yüzbaşı'dan yansıyan özgüvenden çok etkilenmişti.

İhsan, Sultan Abdülhamid'in Harbiye mezunlarını olabildiğince İstanbul'dan uzak tutmak istemesinden dolayı Selanik'e gönderilen çok sayıdaki subaydan biriydi. Aslında Abdülhamid'in hükümdarlığı bir reform dönemi olabilecek iken, tam bir baskı rejimine dönüşmüştü. Meclis feshedilmişti. İhsan ve diğer pek çok kişi, Balkanlar'da yeşermeye başlayan milliyetçilik akımını bastırmaya gönderilmişti. Yüzbaşı Selanik'e geldikten kısa bir süre sonra, aralarında yazarlar, genç subaylar ve gazeteciler bulunan Jön Türkler kendisiyle temas kurmuştu. Tanıştığı bu aydın gençlerin hepsi idealistti, hepsi ateşliydi. İlkeleri çok kesin olarak anlaşılamasa da, kendi içlerinde gruplaşmalar da olsa, başlıca amaçları anayasayı tekrar uygulamaya geçirmek ve meclisi açmak, böylelikle sultanın istibdadına son vermekti.

Sultan ordu mensupları arasında hiç mi hiç sevilmiyordu. Bir kere askere alındıktan sonra doğdukları yerlerden uzaklarda cephe cephe dolaşarak yıllarını geçiren bu asker ve subaylar ne çocuklarının doğduklarını, ne büyüdüklerini görebiliyorlar, evlerine karılarına hasret, ömürlerini önlerine konan bulamaç gibi karavanayı kaşıklamakla tüketiyorlardı. Bütün bu eziyetlere rağmen sultan subaylara ve askerlere maaş ödemiyordu. Ama kendi muhafız alayına şerefiyeler ve kese kese altın dağıtıyordu.

Tahir Selanik'e yerleştikten birkaç ay sonra İhsan onu Kristal Oteli'ne yemeğe davet etti. Otelin müdavimleri, şehirde gittikçe çoğalan aydınlardı. Önce İstanbul'dan, çok sevdikleri İstanbul'dan bahsettiler. Derken konuşmaları daha siyasi bir yön aldı. Tahir hayretle, fikirlerinin benzediğini gördü. İkisi de sultanın imparatorluğun çöküşünü durdurmak için gereken reformları yapmamasını eleştiriyordu.

"Hepimiz prangalara bağlı yaşıyoruz" dedi İhsan, "Her birimiz. Son yıllarda milliyetçi isyancılarla Makedonya tepelerinde çarpışıp durdum. Beni sakın yanlış anlamayın, ama zaman zaman ben ve arkadaşlarım onların milliyetçi başkaldırısına bir ölçüde imrendik, saygı duyduk. En azından bir emelleri vardı".

"Ama İhsan Bey..." diye araya girdi Tahir.

"Hayır, bırakın bitireyim, Tahir. Bize ait olan bu topraklar her tarafta elimizden kayıp gidiyor. Neden? Çünkü sultan bütün vaktini ve kudretini entrikalara harcıyor. Hürriyet kelimesini insanlar artık evlerinde, en yakınlarına ya da kendi kendilerine bile fısıldamaktan korkuyor. Sultan ihtilal endişesinden kendini kurtaramıyor. Bu yüzden de vekillerden başlayıp sokaktaki adama kadar herkesi gözleyen bir casus ağı oluşturmuş. Her gün beş altı bin rapor aldığını biliyor muydunuz?"

"Herkesin fişlendiğini biliyordum ama rakamın bu kadar yüksek olduğunu tahmin edemezdim. Suikasttan korktuğu için, tahta çıktığından beri saraydan ayrılmadığını, sokağa çıkmadığını duydum. Doğru mu acaba?"

"Doğru tabii" dedi İhsan, derin bir nefes alarak. "Adam aydınlanma bir yana, aydınlıktan korkuyor. Sarayda elektrik veya telefon istemiyor çünkü kablo döşemek için zemin kazılırken sarayla birlikte kendisini de havaya uçuracaklarını düşünüyor. Böyle bir ruh halini tahayyül edebilir misiniz? Buna düpedüz delilik derler."

Tahir buruk bir gülümsemeyle "Evet efendim, edebiliyorum" dedi. "Demek bütün bir imparatorluğun kaderi bu garip adamın elinde. Biz ipi çekilen kuklalarız. Biliyor musunuz, İhsan Bey, şöyle veya böyle, hepimizin birer mahkûm olduğunu düşünüyorum."

"Tabii öyle. Ben demincek dedim ya. Mutlakıyet rejimi size nefes aldırmaz. Dünyanın diğer taraflarına bakın. Her yerdeki değişimin tamamen aksine gidiyoruz biz. Bırakın efendim, halk kendi kaderini kendisi tayin etsin. Meclisi geri getirmemiz şart. Bakın ha sözlerime dikkat edin, iyice dinleyin. Bizim istediğimiz ihtilal değil, toplumun çekirdeğini sarsacak herhangi bir şey istemiyoruz biz. Bu adam sadece meclisi kapatmakla kalmadı, devlet teşkilatını da zayıflattı. Dolayısıyla, dostum, sadece asilere karşı değil, saraya karşı da savaşmalıyız. Yoksa bütün bu işin sonu imparatorluğun da sonu olacaktır."

"Fakat bunu nasıl yapabiliriz ki?" dedi Tahir. Fark etmeden kendini de dahil ederek konuşmuştu.

"Bir çözüm bulmaya çalışıyoruz. Bana inanın, her şey değişecek ve yakında anayasa çerçevesinde bir iktidar olacak."

Tahir duygu yüklü bir sesle, "Yüzbaşı, öğrencilik günlerimden beri zihnim bu düşüncelerle dolup taştı. Yemek yerken, uyurken, rüya görürken hep bu fikirler aklımda birbirini kovaladı; aslında hep bunlarla yaşadım. Görüyorum ki siz de..." diyebildi, İhsan lafını kesmeden.

"Siz tek değilsiniz Tahir kardeşim. Olup biteni görmemek için hain olmak lazım. Gelişmeler hakkında sizin gibi düşünen yüzlerce entelektüel, vatansever var. Arkadaşlarım ve ben, dünyanın her tarafındaki yurttaşlarımızla temas halindeyiz. Sizin de bütün teşkilatın buluşma noktası olan Selanik'e tayin olmanız belki de kaderin bir oyunu."

"Doğru, İhsan Bey, her ne kadar garip görünse de, bu şehre geldiğimden beri ruhumda hürriyet esintilerini hissettim. İçime bir ferahlık geldi. Ben de bunu şehrin güzelliğine, deniz havasına yoruyordum."

"Bakın, dostum" dedi İhsan, otoriter bir tavırla, "Sizi yakından izledik. Şimdiye kadar memnun kaldık. Yakında sizi bir toplantımıza götüreceğim. Sizin de tahmin edeceğiniz gibi, tam anlamıyla bizim üyemiz olana kadar sizin yanınızda hayati bir mesele konuşulmayacak, fakat gene de sizin o insanları, onların da sizi tanıması için bir fırsat olduğunu düşünüyorum".

Böylece Tahir ilk defa İhsan'la birlikte, İttihat ve Terakki Fırkası'nın toplantısına gitti. Çok güzel bir bağda toplandılar. Görüşlerine yakınlık duyan bağ sahibi incir ağaçlarının altına eski halılar sermişti. Oturdukları yerden dahi meyvelere uzanabiliyor, istedikleri kadar yiyorlardı. Üzüm kasalarının üzerine kuyudan çekilmiş toprak kaplarda terleyen buz gibi sular konmuştu. Evde açılmış mis gibi tereyağ kokan böreği de getirdikten sonra ev sahibi onları rahatsız etmemek için yanlarından ayrıldı. Tahir, İhsan dışında buradakilerden hiçbirini tanımıyor, adlarını dahi bilmiyordu.

Çok geçmeden ne kadar talihli olduğuna inanmaya başladı. Adeta güzel bir rüyadaydı. Etrafındaki bütün bu insanlar sultan ve rejim hakkında onunla aynı görüşleri paylaşıyordu. İlk toplantılarda neredeyse ağzı açık hep dinledi hiç konuşmadı. Yavaş yavaş onları daha yakından tanıdıkça, eleştirilme endişesi olmadan kendi fikirlerini de ortaya koymaya başladı.

Tahir İttihatçılara, onlar da Tahir'e alıştılar. Birbirlerini sınadılar ve sonunda teşkilatın tam üyesi olarak ant içeceği büyük gün geldi. Tahir yıkandı abdest aldı, damat gibi sinekkaydı tıraşını oldu. İhsan da Tahir kadar heyecanlıydı. Sık sık arkalarına bakıp takip edilip edilmediklerini kollayarak daha önceden kararlaştırılan eve geldiler. Kapıyı açan genç subay Tahir'i sofanın yanındaki küçük odaya buyur etti. Biraz sonra içeri gelip gözlerini bağlamak için izin istedi. Tahir biraz garip de gelse kendini olayların akışına bırakmıştı. Genç adam merdivenlerde takılmaması için koluna girdi, yukarı katta hazır bekleyen maskeli ve pelerinli üç adamın önüne getirdi. Etrafta başkalarının olduğunu hissediyordu ama çıt çıkmıyordu. Sonunda sessizlik, otoriter ama genç olduğu belli olan bir sesle bozuldu. Elini önünde duran tabanca ve *Kuran*'a basıp ülkeyi kurtaracağına, emirlere itaat edeceğine ve asla sır vermeyeceğine dair yemin etmesi istendi. Tahir hiç tereddütsüz her kelimeyi dikkatle tekrar edip yüreği coşkuyla sıkışarak ant içti. Artık çok sevdiği ülkesinin tarihinde o da bir rol oynayacaktı.

Böylece Tahir'in İttihat ve Terakkicilerle balayı başladı. Organizasyon yeteneği ve bilgi toplamaktaki başarısı sayesinde kısa sürede dernek mensuplarının gözünde büyük değer kazandı. Aralarına katıldıktan sonra neden yeni üye almakta bu kadar titiz davrandıklarını anladı: Sultanın casusları her yere nüfuz etmişti. Yakalanırlarsa her şeylerini, hatta belki hayatlarını kaybedeceklerini biliyorlardı.

* * *

Ali Bedri "Anne, anneciğim" diye seslenerek basamakları uçarcasına çıktı, Aslı ne olduğunu anlayamamıştı. Aşağıda uyur gezer gibi duran genç bir kadın melül melül önüne bakıyordu. Oğlu eline yapıştı, "Bakın size kimi getirdim" dedi, "Sen artık evlen, zamanı geldi deyip duruyordunuz ya, ben de size nişanlım Leyla'yı getirdim".

Eve girdikleri andan beri Aslı yerinden kımıldayamamıştı. Ali Bedri'den her türlü çılgınlık beklerdi ama bu kadarı hiç aklına gelmemişti. Böyle şeyin şakası bile olmazdı. Donup kaldı. Doğduğundan beri oğlunun bir dediğini iki etmemişti. Hele Canip'in ölümünden sonra Ali Bedri büsbütün onun hayatı olmuştu, adeta kendi benliğini terk edip vücudunda Ali Bedri'yi yaşamıştı. Yemesi, içmesi, okula gitmesi, ayrı kaldıkları Paris seyahati, sonra işe başlaması... Sanki bunların hepsini aynı ruhta aynı bedende yaşamışlardı. Durup dururken bu tanımadığı kıza nişanlım demek de ne oluyordu şimdi?

Hâlâ daha tek bir söz söylemeden Rebeka'ya yukarı gelmesi için işaret etti. Rebeka, Aslı'nın keskin bakışları altında çekinerek yavaş yavaş merdivenden çıkmaya başladı. Sahanlığa ulaştığında Aslı elini uzattı. Türklerin el öpme âdetine alışık olmayan Rebeka kendisine uzatılan elin içine kendi elini pelte gibi bıraktı. Aslı elinin öpülmeyişini yadırgadığını belli etmeden, büyük bir zarafetle oturma odasına yöneldi, onlar da kendisini izlediler. Ali Bedri, annesi oturana kadar bekledi; Aslı, odaya hâkim bir konumda duran ve vaktiyle eşine ait olan koltuğa yerleşti, Ali Bedri de Rebeka'nın oturması için onun yanına bir iskemle çekti.

Aslı, Ali Bedri'ye döndü: "Oğlum, doğru mu duydum? Bu genç hanım için nişanlım dedin galiba."

"Evet anneciğim, doğru duymaz mısınız hiç?"

"Anlayamadım ama, yani nasıl böyle ani bir karar verdin? Hiç haberimiz olmadan?"

"Anneciğim, gerçekten çok ani oldu. Birdenbire oldu. Ben de onu diyecektim. Ama şimdi bakın, size, dizinizin dibine getirdim."

Ali Bedri de söyleyecek başka bir şey bulamadığı için bir müddet konuşmadan önlerine baktılar, derken Aslı biraz olsun kendini toparlayıp sessizliği bozdu:

"Demek oğlumla evlenmeyi düşünüyorsunuz" dedi. Her ne kadar Rebeka'ya hitaben konuşsa da, onun yüzüne bakmıyordu. "Gecenin bu saatinde böyle bir şeyle karşılaşacağım ölsem aklıma gelmezdi. Ben ne olursa olsun oğlumun müstakbel eşinin dest-i izdivacını ebeveyninden talep etmek isterdim. Maalesef oğlum beni zor bir durumda bıraktı."

Sonra Ali Bedri'ye dönüp, "Küçükhanım kimlerden acaba?" dedi.

"Anne" dedi Ali Bedri, "Onun ana babası yok, dolayısıyla siz benim kadar onun da annesi olacaksınız".

Aslı buna cevap vermedi. Ali Bedri'nin kimin nesi kimin fesi belli olmayan ne idüğü belirsiz bir kadını nasıl eve gelini diye getirmeye cüret ettiğini bir türlü anlayamıyor ama sinirlerine hâkim olmaya çalışıyordu. Acaba oğlan kızı hamile bıraktığı için mi vicdanı elvermeyip nikâhına almak istemişti? Aslı bir türlü durumu çözemiyordu.

"Küçükhanım, herhalde akrabalarınız, yakınlarınız vardır, değil mi?" diye sorgulamayı devam ettirdi.

Ali Bedri söze karışarak yalnız yaşadığını söyledi.

"Nasıl olur?" dedi Aslı, "Genç bir kadın yapayalnız nasıl oturabilir ki? Çok acayip bir şey Ali Bedri".

Rebeka kendisinden söz edildiğini anlamakla beraber söylenenleri düzeltmek için hiçbir teşebbüste bulunmadı, oturduğu sandalyenin içinde küçüldü, küçüldü, adeta kayboldu. Bu evde ne yapacağım diye düşünüyordu ama artık kendi evine geri dönemezdi, hele bir önceki gece olanlardan sonra. Ne olursa olsun kendi iradesiyle terk etmişti evini, hiç kimse başına silah dayayıp onu nereye varacağı bilinmeyen bu maceraya zorlamamıştı.

Aslı yine bir şeyler öğrenebilmek için ısrarını bırakmadan, "Kimse sizi merak etmez mi?" diye sordu. "Göründüğüne göre akşam burada kalacaksınız." Ancak o zaman Rebeka gözlerini halıdan kaldırdı ve ona baktı:

"Hayır, kimse beni aramaz" dedi.

O anda Aslı dehşetle oğlunun kendine söylemediği başka şeyler de olduğunu anladı. Utanmadan eve getirdiği genç kadının lehçesinden gayrimüslim olduğu belliydi. Aslı'nın beynine kan hücum etti, ensesine bıçak gibi bir ağrı girdi.

* * *

Rebeka kimsenin kendisini aramayacağını söylese de, bu doğru değildi. Yosef Enişte günün hâsılatını hesapladıktan sonra dükkâna göz gezdirdiği zaman Rebeka'yı göremedi fakat bunun üzerinde fazla durmadı, zaten boğaz pastili almaya gelen son müşteri de gittiğinden beri dükkânda ses seda çıkmamıştı. Yukarı çıktığında Olga'ya Rebeka'yı sordu.

"Burada, senin yanında değil mi?"

"Tabii ki hayır" diye yanıtladı Olga, "Olsa bilmez miyim? Sarayda mı yaşıyoruz ki? Bu iki odanın içinde kimse kaybolmaz."

"Pekiyi, nerede ki o zaman?" Yosef meraklanmaya başladı.

"Acaba mektubu bir kez de kendi gözleriyle görmek için Ester'in annesine gitmiş olmasın? Eğer öyleyse kızı da mazur görmek lazım. Bu sabah ona anlattıklarımızı idrak etmesi öyle kolay değil. Biliyor musun, bütün gün tek söz söylemedi. Şapkamı ver Olga, Ester'in annesine gidip onu geri getireyim."

Yosef bu nafile arayıştan eli boş döndü. Ester'in annesi günlerdir Rebeka'yı görmemişti. Karıkoca endişe içinde, beklemekten başka çareleri olmadığını düşündüler. Yatağa yattılar ama gözlerini dahi kırpmadılar. Olga ara sıra kalkıp sanki gece gizlice gelip yatağına yatabilirmiş gibi Rebeka'nın yatağına baktı. Yastığını düzeltti. Uykusuz geçirdikleri geceden sonra sabahın ilk ışıklarıyla Yosef karakola gidip sormaya karar verdi.

"Ben de seninle geleyim" dedi Olga.

"Hayır, Olga. Bu benim sorumluluğum. Avram'ı bu eve ben getirdim. Nişanlarını ben onayladım. O benim için bir oğul gibiydi. Başımıza ne geldiyse onun serseriliğinden, affedilmez davranışı yüzünden oldu."

Karakolda uzun süre kimse onunla ilgilenmedi. Nihayet birisi Rebeka'nın tarifine uygun hiç kimse hakkında kendilerine bir bilgi gelmediğini söyledi, kız bulunmazsa tekrar gelmesini önerdi. Tam çıkarken genç bir polis memuru sırıtarak arkasından seslendi: "Hey, babalık baksana sen! Belki de sizin küçük kız aftosuna kaçmıştır!" Yosef cevap dahi vermeden paltosunun yakalarını kaldırıp hızlı adamlarla karakoldan kaçarcasına uzaklaştı, yoluna devam etti.

* * *

Aslı, içinde kabaran öfkeyi bastırmaya çalışarak Rebeka'ya döndü:

"Adınızı duyamadım" dedi.

Cevap tek bir sözcüktü: "Rebeka."

Kocasının ölümünden beri başını dik tutmak için onca çaba vermiş olan Aslı, konu komşunun alaylarına hedef olmayı kabullenemezdi. Böyle bir evliliği kabul etmem dese oğlan kırılacak, belki de başını alıp gidecek, bir daha anasını arayıp sormayacaktı. Kabul etse el âlem ne derdi? Koskoca Canip Bey ile Aslı Hanım'ın oğlunun soyu sopu belirsiz bir Yahudi kızını alması olur muydu hiç? Yukarı tükürsen bıyık aşağı tükürsen sakal. İçin için kocasına kızdı. "Yapayalnız bırakıp gittin, danışacak, başımı dayayacak kimim kimsem yok" diye içinden konuştu. "Kadın halimle bak başıma neler açtı bu oğlan" dedi. Biraz düşündükten sonra aklında bir çare oluşmaya başladı. Nikâhtan önce kızı Müslüman yapmak lazımdı; bu gelin müsveddesi sokağa çıkmaz ve komşularla da konuşmazsa, kimsenin ruhu duymaz, kimse bir şey anlamazdı. Oğlunu dünyadaki her şeyden, kendi canından bile kat be kat daha fazla seviyordu. Ömrünü onu mutlu etmeye adamıştı. Mademki arzusu böyleydi, o zaman Aslı'ya buna saygı göstermekten başka bir şey kalmıyordu. Ama bunu dosta düşmana rezil olmadan, cemiyetteki yerini yerle bir etmeden yapmalıydı.

Rebeka adını Ali Bedri de ilk defa duymuştu annesinin şaşkınlığını hemen anladı ve araya girdi, "Hayır, anneciğim onun adı artık Leyla" dedi. Aslı kendini güçlükle toplayarak "Madem öyle, yeni evine hoş geldin, Leyla" dedi ve oğluna döndü, Cennet'i çağırıp tatlı ikramı yaptırmasını söyledi.

Kapıda beliren Cennet'in bakışları hanımının gözlerine yöneldi. Bebeğini kaybettiği andan itibaren bir an bile hanımını yalnız bırakmamış, yıllar içinde de vazgeçilmez yardımcısı olmuştu. Ali Bedri'ye kendi oğlu gibi bakmıştı. Aslı'ya sadakati sonsuzdu, bir o kadar da saygılıydı. İki kadın aynı yaşlarda olmalarına rağmen Aslı'ya her zaman itaat eder, her isteğini severek yerine getirirdi.

Sorgulayan gözlerle neler olup bittiğini anlamaya çalıştı. Aslı konuşmasa da, ellerini kucağında ovuşturmasından, sırtını kanepeye dayamadan eğreti oturuşundan hanımının zorlandığını tahmin edebiliyor, bir şeylerin doğru gitmediğini seziyordu. Aslı'nın hayat düsturu olan atasözünü duyar gibiydi: "Bak Cennet" derdi habire, "Kan kussan kızılcık şerbeti içtim diyeceksin. Ele güne sıkıntını belli etmeyeceksin. Sana 'he, he' derler, arkandan tefe koyarlar".

Odaya girmeden bir an kapıda durakladı, sonra elindeki gümüş tepsiden Rebeka'ya tatlı ikram etti. Muhallebiye benziyordu. Rebeka çekingen bir şekilde tatlıya uzandı. Diğerlerinden önce yemeye başlamak istemiyordu ama birden acıktığını hissetti ve yirmi dört saattir hiçbir şey yemediğini hatırladı. Gözlerinin önünde yiyecek görünce, midesindeki ağrıların sinirden çok açlıktan kaynaklandığını anladı. Nihayet Aslı uzun saplı, üstü turalı kaşığı ince elinde zarif bir hareketle tutarak ağzına bir lokma attı. Onu izleyen Rebeka, kendi tombul ve alerjiden beneklenmiş ellerinin Aslı'nınkilerle ne kadar tezat oluşturduğunu da fark etmekten geri kalmadı. Muhallebi çok lezzetliydi ve ağızda eriyordu, herkesten önce bitirdi. Aslı kapıda bekleyen hizmetçiye daha getirmesini söyledi, sonra Rebeka'ya döndü:

"Demek tavuk göğsünü beğendin."

Rebeka önce anlamadı.

"Tavuk göğsü mü? Yani muhallebinin içinde tavuğun göğsü mü var?"

"Evet, tabii; hiç duymamış mıydın?" dedi Aslı.

Rebeka cevap verecek durumda değildi. Birden kendisini başka bir âlemde, başka bir zamanda hissetti. Olayı sanki dün gibi hatırlıyordu. On iki-on üç yaşlarındayken teyzesi ocakta kaynayan süte bakmasını istemişti. O ise unutmuş, teyzesi geri geldiğinde süt bütün ocağa taşmıştı. Süt tenceresinin yanında ise, teyzesinin neredeyse her gün yaptığı meşhur çorba için yeni pişirdiği tavuk duruyordu. Sütün bir kısmı tavuk tenceresine de akmıştı. Çok katı biçimde koşer kurallarına uyan teyzesi ümitsizliğe kapıldı. Süte değen bir tavuğu asla yiyemezlerdi, mecburen bütün tavuğu çöpe attılar, tencereyi de yeniden kalaylattılar.

Onca yıl önce başından geçen bu kötü olayı hatırlayan Rebeka'nın midesi bulanmaya başladı. Her ne kadar mantığı artık bambaşka bir hayata başladığını söylese de, bütün vücudu direniyordu. Dişlerini sıkıp bulantısına hâkim olmaya çalışsa da, midesinin isyanını bastıramadı. Birden ayağa fırlayıp odadan koşarak çıktı. Ali Bedri de arkasından koştu fakat Rebeka'nın nereye gitmeye çalıştığını anlayamadığından, Rebeka sahanlıktaki güzelim İran halısının üzerine kustu. Hazmedemediği muhallebi beyaz öbekler halinde halının üzerine, elbisesine bulaştı, etrafı ılık ekşi bir koku kapladı.

Rebeka/Leyla

Aslı, Rebeka'nın geldiği gecenin sabahında imam efendiyi gizlice büyük konağa çağırıp görüştü. Herkesin zannettiğinin aksine Aslı para içinde yüzmediği için, dilini tutması ve güya minberin önüne koyması için bu kurnaz din adamına nakit yerine ipek bir seccade hediye etti. İmam efendiden de cuma namazından sonra Rebeka'ya kelime-i şahadet getirteceğine, akabinde de nikâhı kıyacağına dair söz aldı. Bu sorun hallolunca Aslı ve sadık yardımcısı Cennet, Ali Bedri'nin odasını gerdek odasına uygun biçimde döşemeye başladılar. Cennet'in annesi ve birkaç akrabası düğün ziyafeti için dolmalar, tatlılar ve soğuk etler hazırladılar. Mutfakta kazanla yemekler pişmeye başladı. Zerde pilav son gün yapılacaktı.

Rebeka etrafındaki hummalı bu telaşın tamamen dışındaydı. Kimse ondan bir şey yapmasını istemiyor, kimse onunla iki laf konuşmuyordu. Günlerini arka tarafa bakan misafir yatak odasında, pencereden bahçeyi seyrederek geçiriyordu. Pek sık olmasa da ara sıra teyzesini ve eniştesini düşünüyor, ne yaptıklarını merak ediyordu. Yemek saatleri dışında Ali Bedri ortalıkta görünmüyordu, önlerine konan yemekleri de sessizlik içinde yiyorlardı. Zaten ne zaman geldiği, ne zaman gittiği, ne yaptığı hiç anlaşılmıyordu bu genç adamın.

Aslı mesafeli duruyor ve çoğu zaman düşünceli görünüyordu. Rebeka onunla birlikte yaşamanın güllük gülistanlık olmayacağını anlamıştı. Kendisinden ne beklendiğini de kestiremiyordu, zaten yeşil gözlü genç adamı da nereye gittiğini bilmeden izlememiş miydi?

Nihayet büyük gün geldi. Cennet Rebeka'yı uyandırıp "Haydi, küçükhanım, gelin hamamına gidiyoruz" dedi. Konağın büyük, mermer hamamında kurna ve akarsuyu görünce şaşırdı. Bu alışılmış bir şey değildi, neredeyse teyzesiyle gittiği hamamlar gibiydi. Hamamın sobası kor gibi kızarmış, sular kaynar akıyordu. Canip Bey evlendikten sonra, olağanüstü güzellikteki karısını başka kadınlar dahi görmesin diye bu hamamı yaptırmıştı. Cennet bir yandan Arapça dualar okuyup bir yandan da Rebeka'yı ovalıyordu. Son olarak da Rebeka'ya ağzını, burun deliklerini, kollarını ve ayaklarını suyla yıkamasını ve bu sırada bazı kelimeleri tekrar etmesini söyledi. Rebeka ne kelimeleri anlıyordu, ne de yeni yıkandıktan sonra bunları yapmaya bir anlam verebiliyordu, gene de söylenenleri yaptı. Aradan zaman geçince bunların abdest almanın kuralları olduğunu öğrenecekti.

İncecik ipekten, çiçeklerle işlenmiş uzun, beyaz bir başörtü getirdiler. Bundan böyle kocası ve ileride doğacak oğulları dışında hiçbir erkeğin karşısına başını örtmeden çıkmamasını söylediler.

Hiç kimse ona evlenmeden önce Müslüman olması gerektiğini söylememiş olsa da, kendisinden bunun beklendiğini sezmişti. İmamın aşağıda, erkek ziyaretçilerin kabul edildiği salonda hazır olduğunu haber verdiler. Yanında hizmetçiyle birlikte aşağı kata indi ve başı kavuklu adamın karşısına oturdu. İmam "Söylediklerimi tekrarla" deyip Arapça kelimeler sıralamaya başladı, Rebeka da elinden geldiğince bunları tekrar etmeye çalıştı.

Sıra nikâha geldi. İmam bahçıvanı çağırdı, Rebeka da kendisini temsil etmesi için bahçıvana vekâlet verdi. Cennet gelip Rebeka'yı yukarıya, odasına çıkardı. Az sonra Ali Bedri de şahidiyle birlikte geldi ve Rebeka vekâleten Ali Bedri'yle nikâhlandı. Bir saat içinde din değiştirmiş ve evlenmişti. Artık adı Leyla Hatice olmuştu. Müslüman olduğu gün odasından hiç çıkmadı, yemeklerini bile odaya götürdüler.

Neyse ki düğün ziyafeti ertesi gün yapıldı. Davetliler öğlene doğru gelmeye başladı. Leyla giyinmişti ve insanların karşısına çıkmaya hazırdı. Sanki Beyoğlu'ndaki dükkânların vitrininde gibi teşhir edileceğini bilmiyordu. Sabahın erken saatlerinde gelinliğini getirmişlerdi. Aslında elbise kendisi için dikilmemişti: Aslı'nın kendi düğününde giydiği, gümüş ipliklerle işlenmiş ve sahici incilerle süslü gelinlikti. Aslı Leyla'dan çok daha boylu olduğu için elbisenin kısaltılması gerekmişti. Tanımadığı birkaç kadın gelip bu işi hallettiler, fakat anlaşılan pek başarılı olamamışlardı, her adım attığında ayağı eteklerine takılıyordu. Ayrıca Leyla'nın vücudu Aslı'nınki kadar ince olmadığı için elbiseyi yanlarından açmak zorunda da kalmışlardı.

Leyla'yı üst kattaki oturma odasının ortasında, dantel yastıklı bir divana oturttular. Herkes büyük bir iştahla yiyip içerken, duvağı ve dar gelen giysileri içinde olanı biteni kaskatı oturup seyretti. Güneşin batmasına yakın misafirler yeni geline sağlık, refah ve bol çocuk dileğinde bulunup veda edince Leyla'nın ıstırabı da son buldu.

Günün gerçek yıldızı pek tabii kayınvalidesi Aslı'ydı. Leyla'ya bir göz attıktan sonra herkes onunla konuşuyor, aniden aralarına katılan yeni gelin hakkında soru soruyorlardı. Aslı'nın maharetli cevapları onları tatmin etmiş olmalıydı ki fazla ısrar etmediler, ya da bu mağrur kadından fazla laf çıkmayacağını hissedip daha fazla sorgulamaya cesaret edemediler.

Nihayet kocası Leyla'nın kolundan tutup odalarına yöneldi. Leyla bir hafta önce yeni evine geldiğinden beri Ali Bedri'yle hiç baş başa kalmamıştı. Sonraki günlerde de bu yalnızlığı sürecekti. Ama Leyla henüz bunu bilmiyor ve evlendikten sonra her şeyin daha iyi olacağını sanıyordu. Ali Bedri duvağını açarken gülümsedi. Leyla onun gözlerinin içine bakarak sordu:

"Niçin beni hiç tanımadığım insanlarla bu kadar uzun süre burada yalnız bıraktın? Kendimi çok yalnız hissettim."

Ali Bedri bu kadar açıklıkla ifade edilen soruya şaşırmıştı. Onun gözünde evi ve annesi mükemmeldi, böyle bir soru düşünülemezdi bile. Hiçbir şeyi eksik değildi, bir isteği olsa hizmetçiye söylemesi yeterliydi. Sonraki yıllarda da Leyla'nın yeni kimliğine, yeni yaşam tarzına ve yeni evine uyum sağlamak için ne kadar fedakârlık yaptığını anlayamayacaktı.

"Benim her an senin yanında olmamı beklemiyorsun herhalde, sevgilim. Yapacak o kadar çok işim var ki. Ayrıca, bütün vakitlerini eşlerinin eteği dibinde geçiren erkeklere de ne dendiğini bilirsin. Benim de kılıbık koca olmamı istemezsin, değil mi?"

"Sen ne yapıyorsun ki? Bütün gün neredesin?" diye sordu Leyla.

Bu ikinci soru da Ali Bedri'yi yıldırım gibi çarptı. Gerçi Paris'te özgür Fransız kadınlarıyla tanışmıştı, ama genç Türk gelinleri mahcup davranmalı, ancak kocaları davet ederse konuşmalı, sorgulayıcı bir tavır almamalıydı. Kendini toparlamaya çalıştı.

"Hariciye Vekâleti'nde çalışıyorum. Fakat düğün gecemizde bu ne biçim bir sohbet? Haydi, kendini böyle şeylerle üzme, Leyla. Sen benim için gecenin sessiz kadınısın, yoksa unuttun mu?"

Ali Bedri Leyla'nın gelinliğinin düğmelerini ilk defa beraber oldukları gece onu soyarken gösterdiği dikkatle açmaya başlamıştı bile. Leyla sopa gibi kaskatıydı, neredeyse duyulamayacak kadar hafif bir sesle:

"Neden benimle evlendin?" diye sordu.

Bu sorusuna hiçbir zaman cevap alamadı.

Düğün gecesi Leyla gözünü kırpmadı. Kocasını uyandırmadan yataktan usulca kalkıp yine pencerenin önüne oturdu. Ali Bedri tek taraflı sevişmelerinden sonra mışıl mışıl uyuyordu. Teyzesini ve eniştesini terk ettiği günden beri ilk kez ciddi biçimde onsuz ne yaptıklarını tahayyül etmeye çalıştı.

*   *   *

Eczanenin üstündeki küçük dairede matem havası devam ediyordu. Olga ruhunun derinliklerinde Rebeka'nın intihar ettiğini hissediyordu.

"Eminim kendini Sarayburnu'ndan denize atmıştır. Onu asla bulamayacağız, cesedini bile. Doğru düzgün bir mezarı bile olmayacak" diye inliyordu.

Dua etmekten başka yapacak bir şey yoktu. Evden dışarı çıkmıyor, Rebeka'nın çok sevdiği tavuk çorbasını dahi pişirmiyordu. Zaten artık iştahları da yoktu. Kendi çocukları gibi sevdikleri iki gençle birlikte sofralarını paylaştıkları günler çok geride kalmıştı. Bu gençler farklı şekillerde onlara ihanet etmişti. Bir veda mektubu dahi yazmadan veya niyetini belli etmeden gidip kendini öldürmek, Avram'ın davranışı kadar kötüydü, hem de günahtı. İkisi de hem sessizce birbirlerini, hem de yüksek sesle kendilerini suçluyordu. Ne olduğunu bilemiyorlardı ama bir yerlerde hata yapmışlardı. Eğer bu çocuklar kendi anne babalarıyla büyümüş olsalardı böyle bir çifte felaket başlarına gelmezdi.

Bütün bir haftayı uykusuz geceler ve bezginlik dolu günlerle geçirdiler. Bu olaydan önce Yosef sinagoga sadece cumartesi günleri gider, o günlerde Tanrı 'yla arasında bir bağ hissedip huzur bulurdu. Rebeka'nın kayboluşundan sonra sinagoga her sabah gitmeyi âdet haline getirdi. Dualarının kabul olunmasını umut ediyordu. Rebeka'nın evlendiğinin ertesi günü her zamanki gibi kapıya yakın sıraya oturdu. Tefelimi sardı. Tam duaya başlayacakken birisi omzuna dokundu. Dönüp baktı, arkadaşı terzi Hayim'di.

"Yosef" dedi Hayim, "Lütfen biraz dışarı gel. Çok önemli". Yosef şaşkınlık içinde onu takip etti.

"Yosef" dedi tekrar, "Sana iyi haberlerim var. Rebeka yaşıyor. İntihar etmemiş".

"Nerede?" diye sordu Yosef, kulaklarına inanamayarak. "Hastanede mi? Onu nasıl bulurum?"

"Hayır, hastanede değil. Dur bir dakika, belki otursan daha iyi olur."

"Haydi, söyle. Hastanede değilse, bu kadar muamma neden?"

"Yani..." dedi Hayim, "o kadar da basit değil. Onu görmeye gitmesen belki daha iyi olur."

"Hem yaşadığını söylüyorsun, hem de görmemin doğru olmayacağını düşünüyorsun? Haydi, Hayim, bu nasıl bir bilmece? Bana eziyet ettiğinin farkında değil misin?"

"Yosef, o dün Ali Bedri Bey adında birisiyle evlenmiş. Nikâhı Beyazıt Camii'nin imamı kıymış. Başka soru sorma, çünkü bütün bildiğim bu kadar."

Yosef tek kelime söyleyemedi. Arkadaşına ifadesiz bir yüzle baktı. Oturduğu sıradan kalktı, gerisin geriye döndü, eve doğru gitmeye başladı.

Yosef'i kapıda görür görmez Olga bir felaket olduğunu anlamıştı. Gideli sadece bir saat olmuştu. Olga'nın varlığının farkına bile varmadan içeri yürüdü. İç cebinden dua kitabını çıkardı ve ölülerin ardından okunan Kadiş bölümünü okumaya başladı. Gözlerinden akan yaşlar gözlüklerinin arkasından yanaklarından süzülüyordu. Okumayı bitirince yeleğinden bir parça kumaşı yırttı. Olga, Rebeka'nın öldüğünü anlamıştı. Aradan ancak günler geçtikten sonra Yosef karısına Rebeka'nın cismen yaşadığını, fakat ailenin gözünde ölü olduğunu söyleyebilecekti.

İsyan

"Buna ihtiyacın olacak, Tahir."

"İhsan, ne yapayım ben bunu, ben ömrümde tabanca kullanmadım ki."

"Nereden ne tehlike geleceği belli olmaz. Canımız cebimizde yaşıyoruz. Artık kendini bu davaya adadığına göre, maalesef bundan böyle tabancasız olamazsın."

"Madem gerekli diyorsun, olsun, taşırım yanımda. Ama alışık değilim, kabadayı gibi belinde tabancayla gezmek bana göre değil."

Tahir dairedeki amirine İstanbul'dan telgraf geldiğini, bazı ailevi sorunları halletmek için eve gitmek zorunda olduğunu söyledi. Nereden bilebilirdi ki, kısa süre sonra gerçekten bir telgraf gönderilecek, annesinin cenaze haberini verecekler, ortadan kaybolması için gerçek bir sebep ortaya çıkacaktı!

Cemiyete yeni dahil olmasına rağmen Tahir, Manastır'da düzenlenmesi planlanan ilk isyana katılacak seçkin gruba dahil edilmişti. Arkadaşları bu ciddi ve akıllı adamı sevmeye, saymaya başlamışlardı. Her zaman dikkatli davranması, hiçbir ayrıntıyı kaçırmaması, onu çok geçmeden ne zaman bir fikir ayrılığı olsa işi çözecek merci haline getirmişti. Bu nedenle de yirmi beş kişilik bir grubun sorumluluğu ona verilmişti.

Manastır'a yolculukları sırasında dikkati çekmemek için trende ayrı kompartımanlarda oturdular, karşılaştıklarında birbirlerini görmezlikten geldiler; takip edilmemek için doğrudan gitmek yerine Üsküp yoluyla seyahat ettiler. Yolu biraz uzatmış oldular fakat hedeflerine sağ salim ulaşmaları daha önemliydi. Önceleri biraz da hırsız polis oyununu andıran gizlilik, maskeli adamların önünde yeminler, her dakika arkalarına bakmalar Tahir'e anormal gelse bile artık bu garipliklere alışmaya başlamıştı. O da yalnızken bile sokak köşelerinde yavaşlayıp arkasında biri olup olmadığını kontrol ediyordu.

Trenin ninni gibi gelen uğultusunda rahatlayıp ruhunun derinlikleriyle sohbet ederken "Hayatım Selanik'e geldiğim şu birkaç ayda ne kadar değişti" diye düşündü. Eskiden İstanbul'da bir oraya bir buraya serseri mayın gibi dolaşırken şimdi hayatının yönü cetvel gibi çizilmişti. Kendi kendine serseri mayın lafına gülümsedi. Artık benzetmeleri bile askeri nitelikte olmaya başlamıştı. "Ben bu kadar mı değiştim. Bu kadar mı kendimi adadım davaya" diye düşündü. Bugüne kadar her yerde kendini biraz yabancı hissetmişti. Okulda bile. Sonra Ali Bedri'nin evinde kendine çok iyi davranılmasına rağmen o evin oğlu değil sadece küçükbeyin arkadaşıydı. Hiçbir yerde buradaki gibi bir aidiyet duygusu hissedememişti. Buradaki gibi "Ben olmazsam bir şeyler eksik olur" diyememişti. Dairenin çevresinde dolaşmak yerine ta merkezine girmişti artık.

Neticede Manastır'a vardılar. İlk birkaç gün güvenli evlerde kaldılar, sadece karanlık bastıktan sonra, önceden belirlenen randevu noktalarında buluştular.

"Tahir, zamanlama çok önemli."

"Farkındayım, İhsan. Herhangi bir değişiklik var mı? Bildiğim kadarıyla garnizona cuma namazı sırasında saldıracağız."

"Hayır, ilk planımızdan beri hiçbir değişiklik yok. Dediğim gibi bütün adamlarının ezandan hemen önce orada olmasını temin et."

"Hazır olacağız. Her bir grup, garnizonun farklı bir kanadına hücum edecek, işi biten de hızla mekândan ayrılıp dağa çıkacak."

Birisi araya girdi: "Görev tamamlanınca hepimiz orada buluşsak daha uygun olmaz mı? Hemen bir vaziyet değerlendirmesi yaparız."

Tahir, sert bir sesle, "Bu intihar demek olur" diye yanıtladı. "Başaramadığımızı farz edin, olmayacak şey değil ki. Koskoca bir garnizona karşı bu kadar az adam saldırıyoruz. Tabii ki böyle bir şey aklıma getirmek istemiyorum. Ama ya öyle olursa, birbirimizi bekleyecek olursak hepimizi yakalarlar. Ama her grup kendi görevini tamamlayıp farklı bir yol izlerse kurtulma şansımız artar."

Toplantıda Yüzbaşı İhsan'dan başka birkaç subay daha vardı. Tahir'in kararlı konuşmasını ilgiyle dinlediler. Subaylardan biri söze girdi:

"Bakın beyler, bence Tahir Bey kesinlikle haklı. Onun söylediği gibi hareket etmeliyiz. Beni şaşırtan şey, onun sivil bir kişi olarak biz askerlerin düşünemediğimiz bir stratejik yöntemi bizlere göstermesi. Helâl olsun doğrusu."

Tahir isyandan önceki geceyi şehrin dış mahallelerinden birinde yaşlı bir çiftin evinde geçirdi. Ertesi gün güçlü olmak için uyuması gerektiğinin farkındaydı, fakat ne zaman dalacak gibi olsa ter içinde uyanıyordu. Sonunda uykusuzlukla mücadele etmekten vazgeçip arka avluya çıktı. Henüz tan ağarmamıştı, gökyüzü kapkaranlıktı. Ara sıra duyulan çekirgelerin dışında sessizlik hâkimdi. Birden evde bir ışık gördü, irkildi. Yaşlı adam elinde bir gaz lambasıyla belirdi.

"Delikanlı, sen de uyuyamamışsın anlaşılan."

"Maalesef."

"Hep böyle olur."

"Nasıl, affedersiniz, anlayamadım?"

"Ben ne dediğimi biliyorum, evlât. Hep böyle olur işte. İnsanın gözüne uyku girmez. Girse bile kâbus girer. Helak eder adamı. İhsan buralara gelince bir şeylerin döndüğünü anlamıştım. Etraf çok karıştı. Ben iki oğlumu cephelerde Osmanlı'nın şanı yürüsün diye beyhude kaybettim. Biz buralarda İstanbul'dan, gözden uzak, gözü yaştan dinmeyen karımla, yeniyetme bebelerle kupkuru kimsesiz kaldık. Biz de çarpıştık zamanında, biz de genç olduk ama yapacak bir şey yok. Sen de bu yolu takip edeceksin, bu böyle yazılmış bir kere. Gidişat berbat. Allah yardımcın olsun. Yakında gün doğacak. İyisi mi sen çık yola. Al, lambayı da götür."

Tahir hiçbir şey söylemeden içeri girdi. Küçük çantasından kemik saplı usturasını çıkardı; bunu yıllar önce Ali Bedri'nin elinde görüp beğenmiş, o da kendisine hediye etmişti. "Ali Bedri" dedi yüksek sesle, hemen de kendi sesinden ürkerek endişeyle arkasına baktı. Aynada dikkatle yüzünü inceleyerek tıraş oldu. Eskiye göre farklı görünüyordu, hem de çok farklı. Belki de uzun zamandır kendi yüzüne böyle dikkatle bakmamıştı.

Her şey planlandığı gibi mükemmel biçimde yürüdü. Bütün subaylar ve askerler namazdayken, İhsan'la birlikte yaklaşık iki yüz genç subay ve bir o kadar sivil garnizona saldırdı. Silah ve mühimmat yanında, garnizonun kasasındaki bol miktarda parayı da aldılar. Tahir kasadan sorumlu olanlar arasındaydı. Şansları yaver gitti. Askerler ve subaylar kendi vatandaşlarına ateş açmak istemediler, dolayısıyla her şey tahmin edilenden daha kolay yürüdü. Hemen dağlara çıktılar. Bu tırmanış onlara harekâttan daha zor geldi.

Tahir bu çapta bir eyleme ilk kez katılmıştı. Romantik bir ruhu olmasa da, bütün olayın cazibesi ve heyecanı hakkında konuşma ihtiyacı duydu ama buna vakit yoktu, teşkilatla ilgilenmesi gerekiyordu. Çok genç olmasına rağmen yüksek rütbeli subaylar dahi neyin nasıl yapılacağını ona soruyorlardı. Zaman zaman düşünceli olsa da belli etmiyor, diğerleri heyecana kapıldığında her zaman soğukkanlılığını koruyordu.

İsyancılar hiçbir fire vermeden amaçlarına ulaşmış oldular ve Manastır isyanı ortalığı karıştırdı. Sultanın kumandanlarından biri durumu İstanbul'a telgrafla bildirmeye niyetlendi. İsyana katılan teğmenlerden biri onun niyetini öğrenince takip edip tabancasını çıkarıp postaneden çıkarken vurdu. Teğmen şans eseri yakalanmadı.

Hem isyan, hem de kumandanın ölümü tüm imparatorlukta büyük yankı uyandırdı. Dağlarda saklanmakta olan Tahir ve arkadaşları, seslerini bütün Avrupa'ya duyurmak için çabalıyorlardı. Durmadan tekrarladıkları soru "Bizim şan şöhret peşinde koşan bir avuç maceraperest olmadığımızı insanlara nasıl anlatırız?" sorusuydu.

Sonunda isteklerini sıralayacakları bir manifesto hazırlayıp Avrupa ülkelerinin Manastır'daki konsolosluklarına göndermeye karar verdiler. Bunu da Fransızca yazmayı uygun buldular, çünkü tercüme sırasında istemeyerek veya kasıtlı olarak anlamının çarpıtılmasından endişe ediyorlardı.

"Ama bize Fransızcanın bütün inceliklerini bilen birisi lazım. Böyle birini nasıl buluruz?"

"Tahir'i arayın" diye söze girdi İhsan. "Mektebi Sultani mezunudur. Bu işi mükemmel yapar."

Tahir, iki başka gencin de yardımıyla, kendisine verilen evrak üzerinde bütün gün çalıştı. Dış dünyaya yanlış bir izlenim vermemek için çok uğraştılar. Her kelime son derece titizlikle seçilmeliydi.

Bundan kısa bir müddet sonra Makedonya'da meşrutiyet ilan edildi. Manastır, hürriyet hareketinin başladığı ilk nokta olduğu için yeni rejimi benimseyen ilk bölge de orası oldu. Bunun üzerine Tahir ve arkadaşları saklandıkları yerlerden geri dönmeye başladılar. Selanik'ten gizlice ayrılmış olan gençler birer kahraman olarak şehre geldiler. Meşrutiyetin Selanik'te ilan edildiği gece sultan da artık hürriyet hareketinin önünde daha fazla duramayacağını idrak ederek İstanbul'da anayasayı kabul ettiğini açıkladı. Son yıllarda onca İttihat ve Terakki üyesini hapse attırmış olmasına rağmen, bu girişimi sanki kendi fikriymiş gibi göstermek istiyordu. Bütün ülke bu yeni hürriyet havasını kutlamaya başladı.

Bunu izleyen üç yıl belki de Tahir'in hayatının en güzel dönemi oldu. Ait olduğu teşkilat yasallaşmıştı. Partisinin ideallerini hayata geçirmek için gece gündüz uğraştı; *la patrie, liberté, égalité, fraternité* (vatan, hürriyet, eşitlik, kardeşlik) ilkelerini yaygınlaştırmaya çalışıyordu. Sonunda kendi düşüncelerini dile getirebildiği bir ortam bulmuş, kendi inandıklarını başkalarıyla paylaşabilmenin mutluluğunu tatmıştı. Hatta takma bir adla bir gazeteye yazılar da yazdı. Ama gene de bir şeyler hâlâ eksikti, amacına tam olarak ulaşamamıştı. İmparatorluğun çürümesini ve parçalanmasını durdurmaya çalışmışlar ama çürüme de parçalanma da dolu dizgin devam ediyor, devamlı toprak kaybı oluyor, birbiri ardına cepheler açılıyor, gençler beyhude yere hayatlarını kaybediyorlardı.

Tahir bir gece tam uykuya dalmışken birisi kapıyı yumrukladı. Hemen fırladı.

"Kim o?"

"Benim, İhsan. Aç kapıyı."

"Ne oldu, İhsan?"

"Hemen hazırlan Tahir. Trablusgarp'a gidiyoruz."

"Dur bir dakika. Nedir bu acele? Anlat önce şöyle."

"Tesadüf, İstanbul'a giden trende yer buldum, oradan da İskenderiye'ye geçeceğiz."

"Yani birlikte Trablusgarp Cephesi'ne gidiyoruz. Peki cepheye gittiğimize göre sana ilk karşılaştığımız günlerdeki gibi rütbenle mi hitap etmeliyim?"

"Resmiyete gerek yok, Tahir."

"Peki, ne zaman hareket ediyoruz?"

"Sabah erken. Tuhaf adamsın, Tahir. Bana 'neden' diye sormayacak mısın?"

"Yüzbaşım, birlikte çok şey yaşadık. Mademki iş acil, seni yalnız bırakmayacağımı bilirsin. İtalyanların Libya'ya saldıracağı söylentisi vardı. Herhalde bu gerçek oldu."

"Doğru, hücum başladı. Tunus ve Fas düşmüştü. Libya, imparatorluğun Akdeniz'deki son kalesi."

Tahir birkaç eşyasını küçük bir çantaya doldurdu, Madam İfijenya için cilalı meşe yemek masasına bir miktar para bıraktı ve İhsan'la birlikte gecenin karanlığına daldı. İstasyona vardıklarında aynı kadere yolculuk edecek diğerleriyle buluştular.

Tren İstanbul'a doğru yol alırken İhsan diğer subaylarla stratejiler hakkında konuştu. Aralarından birçoğu Makedonyalı isyancılarla dövüşmüştü ama daha önce hiçbiri tam teşekküllü bir orduyla karşı karşıya gelmemişti. Libya'daki Osmanlı güçlerinin büyük bölümünün Yemen'de çarpışmak için geri çağırıldığını hepsi biliyordu. Eğer oraya ulaşabilirlerse, son derece zor bir göreve atılacaklardı.

İhsan'ın söylediği gibi, İstanbul'a gelir gelmez İskenderiye'ye hareket eden bir vapura bindirildiler. Tahir ile İhsan güverteye çıkıp minareler ve kubbeler ufukta kaybolana kadar şehri seyrettiler.

"Acaba Ali Bedri de gider miydi diye merak ediyorum."

"Ne dedin? Kim gider miydi? Affedersin, kendi düşüncelerime dalmışım, ne söylediğini tam anlayamadım."

"Dedim ki, acaba Ali Bedri de bize katılır mıydı? Biliyorsun, Mektebi Sultani'den arkadaşım, sana sık sık ondan bahsetmiştim. Uzun zamandır mektuplarıma cevap yazmadı. Harp bitince, hepimiz hayatta kalırsak, İstanbul'a gidip onu görmek istiyorum. Tabii babamı da. Annemin vefatından beri ne yaptığını merak ediyorum."

"Hatırlıyorum, annenin cenazesine çağırdıklarında Manastır'daydık. Yazık oldu. Tek çocuksun değil mi?"

"Evet. Annemi sık sık düşünüyorum, ama Ali Bedri'nin annesi Aslı Hanım'ı da unutmuyorum. Okula gittiğimiz yıllarda bana anne gibi davrandı. Acaba şimdi ne yapıyordur?"

* * *

Ali Bedri'nin uğraşları ise bambaşkaydı, zamanın çoğunu da Beyoğlu'nun gece kulüpleri çevresinde geçiriyordu.

Düğünden birkaç hafta sonra evdeki hayat normale dönünce, Ali Bedri'nin Leyla'ya ilgisi azaldı ve evli bir erkek olması hiçbir şeyi değiştirmedi. Karısının hissiyatını ve duygusal dalgalanmalarını bir kenara bırakıp eski günlerdeki arkadaşlarına ve sevgililerine döndü. Gerçi gene akşam yemeklerini evde yiyordu ama bunun nedeni karısı değildi. Zaten birçok bakımdan hayal kırıklığına uğrattığı annesini daha fazla incitmek istemiyordu. Yemek bitince daha tabaklar sofradan kalkmadan evden kaçmak için bir bahane uyduruyordu. Ne zaman sorulsa gerçeğin ortaya çıkartılamayacağı bir yalan arkasına sığınıyor, nereye gittiğini asla söylemiyordu. En favori gerekçesi bakanlıkta mesai arkadaşıyla bazı işleri bitirmeleri gerektiğini ileri sürmek oluyordu. Evden genellikle paltosunun tek kolunu giyip diğer kolunu sokakta giyerek kaçarcasına fırlıyor, Beyoğlu'ndaki restoranlara, kafe şantanlara, bazen de kötü şöhretli evlere koşuyordu. Yanından hiç eksik olmayan çapkınlık arkadaşı Hilmi de aynen onun gibi, hayatın tadını çıkarmak için dünyaya geldiklerini sanıyordu. Bir nevi hayata karşı arsızlaşmışlardı. Yalnız o an için yaşıyorlar, ne yaptıklarını, mutlu olup olmadıklarını kendi kendilerine sormuyorlar, düşünmüyorlardı bile. Hiçbir zaman içlerindeki sese kulak vermedikleri için yemeği, içkiyi tüketir gibi insanları da kendilerini de tüketiyorlardı. Ali Bedri için amaç bir an olsun yalnız kalmamaktı. Hep bir hareket olsun hep bir yerden bir yere gidilsin. Bir an durmayacaktı. Durduğu an ne olur bilmiyordu ama durmaktan korkuyordu.

Leyla da yavaş yavaş bu düzene ayak uydurmaya çalışıyordu. Ali Bedri sabahın üçüne dördüne kadar dışarılarda dolaşır, eve dönünce onu uyandırmamaya çalışarak usulca yatağa girerdi. Aslında kocası eve döndüğünde her zaman uyanık olurdu ama hiçbir zaman bunu belli etmezdi. Derin uykudaymış gibi nefes alıp verir, kocası içki ve yorgunluktan huzursuz, derin ve horultulu bir uykuya daldığı anda gözlerini tekrar açar, çoğu zaman fazla kıpırdamadan artık tutsak olduğu bu yatakta gözlerini karanlığa diker, sabahı beklerdi.

Kocasının kayıtsızlığı yanında, kayınvalidesinin evdeki mutlak hâkimiyeti Leyla'nın hareket alanını sıkıştırıyordu. Koca bir konakta değil sanki bir kibrit kutusunun içinde yaşıyordu. Başını kaldırsa, elini ayağını biraz öteye uzatsa bir tarafa çarpıyor gibiydi. Leyla'ya bu engeller sanki gerçekten varmış gibi geliyordu. Kendini şeffaf, görülmez hale sokmaya çalışıyordu. Mutfakta, merdivenlerde Aslı'yla karşılaştığında, musluğun kenarındaki elbezi, duvardaki elle yapılmış motif olup kaybolmak istiyordu. Kimse onun varlığının farkında olmasın, ona dokunmasın istiyordu. Mücadele edecek ne gücü ne de arzusu vardı. Dikkat çekmeden yaşayabilmek istiyordu. Aslı'nın her zaman haklı olduğunu kabullenmişti. Onun yargılarına kimsenin karşı çıkamayacağını, hatta herkesin, arkasından dedikodu yapan komşuların bile, bunu kabul ettiklerini biliyordu. Severek ilgilendiği sebze bahçesinde yalnız olduğunu zannettiği bir anda bile ansızın arkasında belirip ıspanağı nasıl yıkadığını izler, "Ispanak çamur çıksa da çıkmasa da sekiz su yıkanır, kocanın ağzına gıcır gıcır kumlar mı girsin istiyorsun, bırak onu bakayım" diye Leyla'yı mutfaktan uzaklaştırırdı. Fısıltı halinde konuşulsa bile bütün söylenenleri duyardı. Mahalledeki meslek sahibi, yetişkin erkekler dahi ona danışmaya gelirdi. On yedi yaşında fazla mektep medrese görmeden evlenip, yirmi iki yaşında dul kalan bu kadın başını daima dik tutmuştu. Çevresindeki herkes gibi Leyla da onun gücü altında eziliyordu.

Aslı evin düzenini büyük bir disiplinle yürütüyordu. Yerdeki tahtalar arapsabunuyla ağarana kadar en az haftada iki kez fırçalanır, mutfağın ve yukarı kattaki hamamın mermer zemini her gün parlatılırdı. Pencerelerin pervazında elini gezdirir, toz kalıp kalmadığına bakardı. Onu tanıyanlar titizliğinden dolayı daha fazla personel çalıştırmadığını zannederdi, halbuki bunun nedeni başkaydı. Aslı'nın maddi imkânları ancak ucu ucuna geçinmesine yetiyordu. Etrafa karşı sağlam durmak için ise bolluk içinde olduğu izlenimini vermesi gerektiğine inanmıştı. Bu da onun kendisini dış dünyadan koruma yoluydu. Ayın sonunda bile, kiralar eline geçene kadar zar zor geçinirken, mahalledeki fakirlere yardım ederdi, çünkü bunun duyulacağını bilir ve güçlü olduğunun düşünülmesini isterdi.

Her sabah Ali Bedri'nin kahvaltısını o hazırlardı: sevdiği kıvamda pişmiş rafadan yumurta, fazla yumuşak olmayan beyaz peynir, bir kâse de kayısı reçeli. Ali Bedri sabahları çay veya kahve yerine bir bardak sıcak süt içerdi. Aslı adeta kutsal gördüğü bu kahvaltı tepsisini Leyla'nın hazırlamasına izin vermezdi. Gelininin yapabileceği tek şey, tepsiyi yukarıya, kahvaltıya inme alışanlığı olmayan kocasına taşımaktı.

Aslı günlük yemekleri pişirmekten hoşlanmaz, buna karşın reçel yapmaktan ve kurutulacak meyveleri hazırlamaktan büyük zevk alırdı. Taze meyveler kısık ateşte ağdalaşana kadar saatlerle ocağın başında dururdu. Havanın sıcak olduğu günlerdeyse kızgın güneşin altında bırakır, doğal biçimde kıvama gelmelerini beklerdi. Alışverişe çok ender çıkardı ama reçellik meyveleri kendisi almak isterdi. Onları büyük bir özenle birer birer yıkardı. Taze meyve almayı tercih ederdi çünkü kurutulmuş olanların temizliğinden şüphelenirdi.

Temizlik anlayışı Leyla'nınkinden farklıydı. Leyla'nın temiz olmadığı söylenemezdi, ancak yaklaşımları değişikti. Bir sabah Aslı Leyla'nın yerdeki bezi alıp mutfak tezgâhındaki kırıntıları silmeye kalktığını görünce kıyameti koparmış, "şart şurt bilmeyen bir kadın nasıl olur" diye bağırıp çağırmıştı. Her şeyin bezi ayrıydı, her bez ayrı ayrı kaynatılıyor, birbirine değdirilmiyordu. Mutfaktaki hadise sonunda Leyla gözyaşları içinde yukarı kaçıp kocası gelene kadar ağlamıştı. Olanları Ali Bedri'ye anlatınca da kocası hemen annesine hak vermiş ve Leyla'nın onu örnek almasını, kibar bir hanımefendi olan annesinden öğreneceği çok şey olduğunu söylemişti.

Bu titizlik konusu iki kadın arasında sık sık sevimsiz tartışmalara neden oluyordu. Aslı Leyla'nın gece kocasıyla birlikte olduğunu varsayıp, saçını yıkamadan, gusül abdesti almadan ekmeğe ve başka yiyeceklere elini sürmesine izin vermiyordu. Evde habire bir cenabet lafı dolaşıp duruyor, Leyla bu laflara yol açmamak için her gün, kar kış çoğu zaman soğuk suyla, kocasıyla beraber olsun olmasın yıkanıyor, saçını doğru dürüst kurutamadığı için de devamlı nezle olup burnunu çeke çeke dolaşıyordu.

Aslı, çok geçmeden önemli bir hususu ihmal ettiğini anladı. Hemen dini konuları iyi bilen yaşlı bir kadın bulup Leyla'ya ders vermesi için anlaştı. Leyla'yı hiç kimseyle baş başa bırakmadığı için bu derslere de nezaret etti, güya elişiyle uğraşırmış gibi yapıp yanlarında oturdu. Kadının evden laf taşıyıp taşımadığını kontrol etti. Dersler zor ve sıkıcıydı. Önce Leyla'nın Arapça yazıyı öğrenmesi gerekti. Leyla ise bütün hayatı boyunca Osmanlı Türkiyesi'nde yaşamasına rağmen kendi dar çevresinden iki adım ötede neler olup bittiğinden haberi olmadığını idrak etti. Sanki bu eve gelmeden önce başka bir gezegende yaşamıştı. Ona da katlandı.

Leyla'nın hamileliğini ilk üç ay Aslı dahi fark etmedi. Genç kadının iştahının açılmasını, nihayet evdeki yemeklere alışmasına yordu. Sonunda Aslı Leyla'nın hamile olduğunu öğrenince kimsenin tahmin edemediği kadar sevindi. Belki bu genç kadın ona Rabia'nın kaybettirdiğini geri kazandırır, çok zaman önce kaybettiği Canip'le arasında yeni bir bağ yaratırdı.

Kocasının kayıtsızlığından mutsuz olan Leyla, diğer taraftan kayınvalidesinin kendisine gösterdiği ilgiye seviniyordu. Kendisine değer verilmeye başlanmasının sebebini biliyordu tabii, gene de bu durum sürdüğünce keyfini çıkarmaya niyetliydi.

Aslı'yla birlikte sokağa çıktığı ender günlerden birinde bebeğin beşiğine rengârenk kurdeleler almaya Pera'ya gittiler. Aslı ilk torununa aldığı süslü püslü giysilere, zıbınlara dünya kadar para harcıyor, kucağında tutacağı günü sabırsızlıkla beklediği çocuk için her şeyin en iyisini istiyordu.

Alışveriş sırasında caddeyi geçerken Leyla uzaktan Yosef'i gördüğünü sandı. Önce emin olamadı ama yaklaşınca gerçekten Yosef olduğunu anladı. Tanınmayacak kadar değişmişti. Henüz ellili yaşlarda olmasına rağmen ihtiyar bir adam gibi duruyordu. Çok zayıflamıştı. Elbiseleri üzerinden dökülecekmiş hissini veriyor-

82

du. Şapkası bile büyük gelmiş gibi neredeyse gözlerine kadar inmişti. Her zaman giyimine kuşamına dikkat eden Yosef şimdi adeta dilenci gibi görünüyordu. Onunla konuşmak istedi, ama ne diyeceğini de bilemiyordu. Bir terslik olduğunu hemen fark eden Aslı, Leyla'yı başka tarafa sürükledi. Endişesi boşunaydı, Yosef bu çarşaf giymiş hamile kadının kaybettiği yeğeni olduğunu asla tahmin edemezdi. Leyla donup kalmıştı. Çaresizlik içinde Aslı'yı takip etti.

* * *

Bütün gece içtikten sonra sabaha karşı eve dönen Ali Bedri, ortalıktaki telaşa bir anlam veremedi. Bir sürü kadın odalar ve mutfak arasında koşuşturup duruyordu. Sonunda annesini buldu. Aslı'nın yüzü gülüyordu:

"Oğlum, Allah bağışlasın, güzel bir kızın oldu!"

"Kızım mı? Ne zaman? Nasıl oldu?" Ali Bedri hâlâ daha durumu kavrayamamıştı. "Leyla'nın daha birkaç günü olduğunu zannediyordum."

"Biz de öyle, çocuğum, hepimiz öyle düşünüyorduk" dedi Aslı, bu sözlerle Leyla'nın evlenmeden önce hamile kalmış olduğunu ima ediyordu.

Fakat Ali Bedri bu tür kinayeleri idrak edecek halde değildi. "Zavallı Leyla" diye düşündü, "İlk çocuğu erkek olmalıydı. Bunu bile beceremedi". Hâlâ sahanlıkta duruyor, hayata gözlerini yeni açan bu canlıyı nasıl karşılaması gerektiğini bilemiyordu. Derken annesi kucağında morarmış bir et parçasıyla belirdi.

"Rengine aldırma" dedi Aslı, "Doğum sırasında göbek bağı boğazına dolanmış. Büyüyünce çok güzel bir kız olacak. Bekle de gör. Bak, sana benziyor. Kucağına almak ister misin?"

"Hayır!" diye haykırdı, sonra daha alçak sesle devam etti: "Hayır, anne, tutmayı beceremem. Leyla nasıl?"

"Gayet iyi. Güçlü bir kadın. Ama sen henüz yanına gitme, uyuyor."

Aslında Leyla uyumuyordu. Kapı aralık olduğu için konuşmaları odasından duymuştu. Fakat kocasına seslenecek takatı yoktu. Hayatında hiç olmadığı kadar onun varlığını yanında hissetmek istiyordu. Her sancı geldiğinde "Ali Bedri nerede?" diye sormuş, ebe ve kayınvalidesi onu şaşkınlıkla dinlemişti. Onlara göre erkeklerin doğum odasında işi yoktu. Bebek yıkanıp sarmalandıktan sonra ona bakabilirler, hatta içlerinden gelirse kucaklarına alabilirlerdi. Âdetlere göre çocuklar büyürken de sesleri duyulmamalıydı. Ama Leyla doğum sancıları içinde bunları düşünmüyordu. Sadece kocasını yanında istiyordu. Bunca aylık evlilikten sonra hâlâ birbirlerine yabancı olmalarına rağmen kocası gene de dış dünyayla arasına duvar ören bütün bu kadınlardan ona daha yakındı.

* * *

İskenderiye'ye gidiş, yolculuğun kolay kısmıydı. Fakat limana girince vapurdan inemediler. Yetkililer son derece dikkatli davranıyordu. İstanbul'daki kolera salgınını duydukları için oradan gelen bütün gemileri karantinaya almışlardı. Tahir huzursuzlaştı ve kendini yorgun hissetmeye başladı. Selanik'ten buraya kadar onca yolu manzara seyretmek için kat etmemişti.

Uzun bir bekleyişten sonra nihayet karaya çıkmalarına izin verildi. Oradan trenle Mısır-Libya sınırına hareket ettiler. Çöldeki yolculuk herkesi etkiledi. Pencereler sımsıkı kapalı da olsa kum tanecikleri her yeri sarmıştı. Tahir ağzına bir lokma atsa, beraberinde kum da yutuyordu. Burun delikleri, kulakları, tırnaklarının altı kum dolmuştu. Daha trende böyle ise, çölde korumasız kalacağı zaman ne olacağını düşünmek bile istemiyordu.

Sınıra gelince trenden inip başka bir ulaşım imkânı bulmak zorunda kaldılar. Develer getirildi. Başlangıçta deveye binmek onlara zor geldi ama çare yoktu. On bir gün sonra Derne'ye ulaştılar. Daha önce gelen subaylar ve askerler oradaki garnizonlarla temasa geçmiş ve İtalyan donanmasını gözetleyebilecekleri konumda, masmavi denize hâkim kayalıkların tepesine kamp kurmuşlardı.

Tahir o kadar bitkindi ki hareket etmekte zorlanıyordu. Her şey ona yabancıydı. Osmanlı devletine sadakatle bağlı olan Araplar Osmanlı kuvvetlerinin büyük bir bölümünü oluşturuyordu. Kadınlar dahi savaşa girmişti, yaralılara yardım ediyor, cephane taşıyorlardı. Tahir gece de uyuyamıyordu çünkü bu kadınlar sabaha kadar ölülerin başında ağıt yakıyordu. Kıyı şeridinde sürekli çarpışmalar olmasına rağmen gözle görülür bir sonuç alınamıyordu. Haftalar, derken aylar birbirini takip etti, sonunda Tahir zaman mefhumunu kaybetti.

Hava kararmak üzereydi. Tahir ayaklarını yıkıyordu. Testideki soğuk su ilaç gibi gelmişti. Suyun parmakları arasından süzülüşünü seyrederken arkasında bir hareket hissetti. Zıplayarak geri döndü, çıplak ayaklarıyla kuma bastı.

"Korkma, benim" dedi İhsan, "Buraya geldiğimizden beri pek görüşemedik".

"Öyle oldu, İhsan Bey. Hepimiz elimizden geleni yapmaya çalışıyoruz."

"Evet, biliyorum. Seni buralara ben sürükledim. Ama maalesef, senin de gördüğün gibi, ne kadar uğraşsak pek bir aşama kaydedemiyoruz. Bizimkilerin yakında İtalyanlarla bir ateşkes antlaşması imzalayacağını duydum. Artık buralarda oyalanmanın bir anlamı kalmayacak. Ben kararımı verdim, geri dönüyorum, Tahir."

"Nereye?"

"Makedonya'ya tabii. Başka neresi olabilir ki? Bulgarlar saldırıya geçmek üzere, onlar diğer Balkan ülkeleriyle aynı cephede yer alırsa, İstanbul kapılarına gelene kadar tatmin olmazlar. O zaman da ben..."

"Balkanlara gitmek istiyorsunuz, öyle mi?"

"Evet" dedi İhsan, sükûnetle.

Tahir hiç sesini çıkarmadan döndü, ayaklarını yıkamaya devam etti. Bir müddet sonra İhsan konuştu: "Bana kalırsa burada yapabileceğimiz ne varsa yaptık. Geride kalanlar sonuna kadar ellerinden geleni yapmaya devam edecektir. Bundan eminim."

Tahir sonunda gözlerini ayaklarından kaldırıp Yüzbaşı İhsan'a baktı:

"Ben de sizinle gelmek isterim, İhsan Bey."

"Bunu samimiyetle söylediğine inanıyorum. Teşekkür ederim, dostum."

Bunun üzerine aynı zor yolculuktan sonra İstanbul'a döndüler ve Batı Cephesi'ne katıldılar.

Tahir gönüllü olduğu için yaşı diğerlerinden büyüktü. Tahmin ettikleri gibi çok geçmeden Bulgarlar saldırdı. Savaş başladığı anda yenilgi söylentilerini de beraber getirdi. Askerler açlıktan kırılıyor, merkezle irtibatsızlıktan başı kesik tavuk gibi doğru dürüst hedef tespit edemeden güçlerini, cephanelerini tüketiyorlardı. Moralleri dibe vurmuştu. Her an yeni bir felaket haberi cephedekileri sarsıyor, neyin doğru neyin söylenti olduğunu ayıramıyorlardı. Harbin ilanından dört gün sonra cepheden ayrılmalar başladı. Önce birkaç asker kaçtı zannedilirken bunu çok sayıda diğerleri izledi. Çok geçmeden askerler topyekûn siperleri bırakıp evlerine dönmek için yollara döküldüler. Asker başıboş kalmıştı.

Hava buz gibiydi. Hiç dinmeyen yağmur toprağı bataklık haline getirmişti. Bulgarlar asker arama bahanesiyle köyleri yakmaya başlamışlardı. Askerler üniformayı, silahı atıp, kaçan halkın arasına karışmıştı. Çoluk çocuk, herkes, acımasız hava koşullarına rağmen açık havada yatmak zorunda kalıyor, açlıktan ve soğuktan teker teker ölüyordu. Asker ve sivili ayırt etmek imkânsız hale gelmişti. Soğuk, insanın açıkta kalan yerlerini kesiyordu. Cepheden gelen haberler kitlelere ulaşmaya başladığında kafileler daha da büyümeye başladı.

Tahir bütün harekâtın kötüye gittiğini anlamıştı. Nereye gitseler terk edilmiş köylerle karşılaşıyorlardı. İnsanlar kapılarını dahi kapatmaya imkân bulamadan can derdinden altınlarını, ziynet eşyalarını kuşaklarına sıkıştırıp yollara dökülüyorlardı. İhtiyarlar, çocuklar, sırtlarda taşınan yatalak hastalar, en katı yürekli bir insanı dahi dehşete düşürebilirdi.

Terk edilmiş köylere vardıklarında her evi pusuya düşmek şüphesiyle teker teker arıyorlardı. Tahir'e yamacın dibinde diğerlerinden uzak bir evi aramak düştü. Mutfaktaki ocakta korlar hâlâ sinsi sinsi yanıyorlardı. Her şey ev sahipleri biraz sonra gelecek gibi yerli yerinde duruyordu. Derken dipteki odadan bir hırıltı duyar gibi oldu. Hemen silahını doğrultup sesin geldiği yöne usulca yaklaştı. Ayağıyla zaten aralık olan kapıyı yavaşça itti. Küçücük odada, yer yatağında yaşlılıktan küçülmüş bir kadın yatıyordu. Yavaşça yanına sokuldu. Göğsü inip kalkmadığı için nefes alıp almadığı ancak çok dikkat edilirse anlaşılabiliyordu.

"Korkma anacığım" dedi. Kadın cevap vermedi. Tahir yorganın üzerindeki kurumuş, nasırlı eli tuttu. Kadından bu kez büyük bir hırıltı geldi ve nefesi durdu. "Ölmek için beni mi bekledin" dedi Tahir kendi kendine. Kadının hafif aralık olan gözkapaklarını tamamen kapattı. Kadını toprağa gömmeden yoluna devam edemeyecekti. Evden çıktı, arka tarafa dolaştı. Son birkaç gündür yağan yağmur kara çevirmiş ve tutmuştu. Ellerini ovuşturarak toprağı kazmak için kazma kürek aradı ama bulamadı. Çaresiz eve döndü kadını kucaklayıp dışarı çıkardı. Biraz çalı çırpı, biraz öbeklenmiş karlarla kadını örtmeye çalıştı. Yapabileceği başka bir şey olmadığını anladığında silahını omuzlayıp arkadaşlarını bulmaya doğru gitti. Etrafta kimseyi göremedi. Anlaşılan askerler Tahir kadınla uğraşırken çekip gitmişlerdi. Tahir boşuna iki gün müfrezesini aradı. Sonunda o da bozguna uğramış askerler ve evini yurdunu bırakmış insanların kervanına katılıp rotasını İstanbul'a çevirdi.

Uzun yürüyüş sırasında insanlar insanlıklarını kaybettiler. Sağ kalanlar bir deri bir kemik kaldılar. Bu sefer de Tahir'in şansı yaver gitmişti ama İstanbul'a vardığında bitkindi. Bomboş evine girer girmez orada yapayalnız kalamayacağını anladı. Ali Bedrilerin evinin yolunu tuttu.

* * *

Ali Bedri kapıda Tahir'i gördüğünde gözlerine inanamadı ama belli etmemeye çalışarak dostuna büyük bir coşkuyla sarıldı.

"Hoş geldin birader!"

"Hoş bulduk, yaşlanmışım, baban gibi olmuşum, değil mi Ali Bedri?"

"Biliyor musun, yaşlanmışsın demeyeceğim ama bir değişik olmuşsun sanki. Çöl havası değiştirmiş seni herhalde. Ama Trablus Harbi biteli çok oldu. Nerelerdeydin ki sen?"

"Ben hep orada değildim ki."

"Yoksa şu çok methini duyduğum Arap güzellerinden bir cariye mi getirip eve sakladın? Sen o kadar kapalı kutusun ki senden her şey beklenir."

Tahir ister istemez gülümsedi. Utanırcasına, "Balkan Harbi'ne gittim" dedi.

"Yahu milletin Kadıköy'e gittim dediği gibi anlatıyorsun. Nen var senin Tahir, ne biçim insansın sen?"

Tahir, Ali Bedri'nin yüzüne bakmadan cevap verdi. "Haklısın, değiştim galiba; ama sadece ben değişmedim, zaman da değişti. Hiçbir şey eskisi gibi değil. Son görüşmemizden beri köprünün altından çok sular aktı."

"Anlaşılan öyle olmuş. Selanik'te çok aktif olduğunu duydum. Bizim Tahir oyunun başaktörlerinden biriymiş anlaşılan."

"O kadar büyütülecek bir şey yok. Emin ol görevlerim o kadar önemli değildi. Sadece yapılması gerekeni yapmaya çalıştım."

"Seninkiler gördüğün gibi pek fazla şeyi değiştiremediler. Evet, anayasa geri geldi ama ne değişti? Her zaman, okuldan beri idealist oldun. Ayağın yere hiç basmadı. Bırak bu hayalleri, gel, otur oturduğun yerde. Bakanlıkta sana bir iş bulayım. Hayatını yaşa."

Tahir bir süre arkadaşının söylediklerini dinledi. Tartışmak hiçbir şeyi değiştirmeyecek, hatta birbirlerini kırmalarına neden olacaktı. Sonunda:

"Sağ ol ama ben kendim bir şeyler ayarlarım. Merak etme sen" dedi.

Dediği gibi de yaptı. Cihan Harbi çıkana kadar orada burada geçici işlerde oyalandı. Çanakkale Savaşı başlayınca da gönüllü olarak cepheye gitti.

Çanakkale

Daha önce pek ateş hattında bulunmasa da Trablusgarp Cephesi'ne ve Balkan Harbi'ne katıldığı için deneyimli bir asker sayılırdı artık Tahir. Komutanlar vakit ve adam kıtlığından Tahir'i tekrar talime göndermeye gerek görmediler. Talim barış zamanının lükslerinden biriydi, içinden çöp çıkmayan ekmek, turfanda meyveler, kuyuda soğutulan buz gibi şerbetler gibi. Zaten Tahir onunla birlikte askerlik şubesine başvuranlardan çok daha fazla mektep medrese görmüş aydın, akıllı bir adamdı. Ne de olsa biraz matematik ve geometriden nasibini almıştı. Askerlik şubesindeki yorgun onbaşı Tahir'i hemen kaydetti. Böyle adamlara her zamandan çok ihtiyaç vardı. Teğmen rütbesiyle ilk vapurla Tahir'i cepheye postaladılar.

Güvertede herkes sessizdi. Adeta hepsi kendi dünyalarına dalmıştı. Kimi geride bıraktıklarını, kimi gittikleri yerde karşılaşacaklarını hayallerinde canlandırmaya çalışıyorlardı şüphesiz. Tahir de kayboldu kendi âleminde. Düşündükçe kafası daha fazla karışıyor, yaşamına bir anlam vermeye kalktıkça sorular daha beter birbirini kovalıyor, içinden çıkılmaz bir hal alıyordu. Niye gönüllü olmuştu ki sanki? Koskoca imparatorluğu kurtaracak bir o mu kalmıştı? Yoksa macera için mi oralara sürüklenmişti? Aslında nedeni pek de macera sayılmayabilirdi. Selanik'e adımını attığından beri rüyasında görse inanmayacağı bin bir türlü olay geçmişti başından. Aklına İstanbul'dan ayrılmadan önceki gece Ali Bedri'yle son karşılaşmaları geldi. Çanakkale'ye gideceğini söylediğinde Ali Bedri enikonu asabileşmiş, her zamanki sevimli, muzip halinden eser kalmayarak, Tahir'i hiç beklemediği bir şekilde adeta azarlamaya başlamıştı.

"Görmüyor musun, bu hayran olduğun dava arkadaşların bizi

felaketten felakete sürüklüyorlar, İttihat ve Terakki'ymiş, yetti yahu!" diye neredeyse üstüne yürümüştü.

Ali Bedri'yi sakinleştirmeye çalışarak, "Yapma be birader, polisle iç içe, jurnalcilerin koynunda yaşamak daha mı iyiydi, daha mı memnundun sanki, her şey ne de çabuk unutuluyor" diye savuşturmaya kalkışmıştı arkadaşının saldırısını.

"Peki ama Tahir söyle bakalım, bu millet neyle savaşacak? Para mı var, silah mı var, cephane mi var? Yoksa şanlı Türk milleti aslanlar gibi kükreyip pazu gücüyle düşmanı bir kaşık suda boğuverecek herhalde. Bu sizin Enver Paşa'nız külliyen delirmiş. Bana kalsa sadece deli değil, tehlikeli bir megalomanyak. Sizler de kuzu gibi peşinden gidiyorsunuz. Herife —tövbeler olsun— Allah gibi tapıyorsunuz. Biz kim, koskoca Britanya İmparatorluğu'yla, Fransa'yla, Rusya'yla savaşmak kim? Hepsi hayal, ama sonu süûtu hayal."

"Ama bir dakika, Almanları unutuyorsun. Almanya gibi kuvvetli bir müttefik olduktan sonra nasıl böyle bir davaya hayal deyip işin içinden çıkabilirsin ki?"

"Biliyorum da, Enver'in Almanların kuklası olduğunu da biliyorum. Hain herifler Enver Paşa'yı keman yayı gibi çalıyorlar. Yahu gözümle gördüm, Berlin'den İstanbul'a gelen trenlerin üzerinde 'Enverland' yazıyor, daha ne olsun? Adam zaten deli, büsbütün kendini bir halt zannediyor. Sen asıl elini vicdanına koy bunların yaptığı her şey aklına yatıyor mu sanki? Hiç mi hataları yok sence?"

"Onu demek istemiyorum. Tabii ki orada burada hataları olmuştur" dedi Tahir. Partiden ne kadar soğuduğunu, nasıl da beklediklerini bulamadığını uzun uzadıya Ali Bedri'ye anlatmaya mecali yoktu. Trablusgarp Cephesi, karabasan gibi geçen Balkan Harbi'nden sonra Ali Bedri'den çok daha iyi biliyordu ordunun ne zavallı halde olduğunu. Açlığı, susuzluğu, perişanlığı bire bir yaşamıştı, ilk elden. Abdülhamid'in jurnalcileri yerine bu sefer de Enver'in adamları vardı, onu da biliyordu. "O kötü, bu kötü" diye hiçbir şey yapmadan yerinde oturmak da olmazdı ki.

"Orada burada hataları olmuştur ha? Âlemsin be birader. Bu ne inat, bu ne ısrar. Bana kalsa adamların en büyük marifeti İstanbul'u başıboş köpeklerden kurtarmak oldu. Onu da yüzlerine gözlerine bulaştırdılar ya neme lazım. Köpekleri bu akıllılar ıssız adaya götürmüşler, tabii hayvanlar açlıktan susuzluktan ölüyorlar, leşler ortada. Unuttun mu kolera salgının bundan çıktığını? Bir şeyi de becerseler bari."

"Ama Ali Bedri..."

"Aması maması yok Tahir. Sen onu bunu bırak, kendini niye ortalara atıyorsun onu bana izah et."

"Çünkü, Ali Bedri, biz düşmanı durdurmazsak memleket elden çıkacak, kala kala elimizde ne kaldı ki? Eğer bu topraklar da elimizden giderse ve de ben buna mani olmak için hiçbir şey yapmamışsam kendimle yaşayamam. Yaşayamam yani. Anlıyor musun?"

Ali Bedri bir süre konuşmadan uzaklara baktı sonra yavaş yavaş Tahir'e döndü, alaycı bir sesle "Öyle olsun, peki" dedi, "devlet-i şahanemizin senin gibi evlatlara ihtiyacı var". Gözlerini tekrar uzaklaştırırken Tahir bu gözlerde alaycı sesi yalanlayan derin bir hüznü yakalar gibi oldu.

* * *

Gemide saatler ilerledikçe diller de çözülmeye başlamıştı. Çevresindeki gençler kırk yıllık ahbap gibi birbirleriyle konuşmaya dalmışlardı bile. Oysa Tahir yanındaki gençlerin heyecanına bir türlü ortak olamıyordu. Zaten garip bir heyecandı bu. Gençlerin korkusu, bilinmeyen bir düşmanla bir an evvel karşılaşmak için sabırsızlanma kisvesi ardına saklanıyordu. Tahir'e daha önce cephede bulunduğu için saygı ve biraz da çekingenlikle yaklaşıyorlardı. Sonunda Tahir'in sakin ve olgun hareketlerinden cesaret bulan çocuklar onu soru yağmuruna tuttular. Tahir de kimseyi incitmemeye gayret ederek hepsini cevaplamaya çalıştı. Gariplerin en çok merak ettikleri ölülerdi. Bırak adam öldürmeyi, çoğu hayatlarında hiç ölüyle karşılaşmamışlardı. Tahir ölmekten mi öldürmekten mi daha çok korktuklarını pek anlayamadı.

Sohbet koyulaşınca genç teğmenlerden birinin Beyazıt'ta Ali Bedrilerin komşusu olduğu ortaya çıktı.

"Annelerimiz birbirlerine gidip gelirler" demişti genç adam. Biraz durakladıktan sonra "Ben de selamlaşırım Ali Bedri Bey'le..." diye ekledi. Sanki eklemek istediği bir şey varmış da Tahir'den izin istermiş gibi biraz bekledi, sonra dayanamayıp "Ama hiç öylesine konuşmadık, yani çok farklı biri, pek bizim gibilerle ahbaplık etmek istemez diye düşünmüştüm" dedi. Hani pek haksız sayılmazdı genç adam. Ali Bedri'nin karşısındakini zaman zaman tedirgin edecek bir edası yok değildi. Bunu çoğu zaman Tahir de fark etmişti. Bazılarının elini hiç yüzlerine bakmadan sıkar, "şükredin size elimi verdim ya" havasında karşısındakini hiçe sayardı. Ama Tahir dayanamayıp arkadaşını savunmaya başladı.

"Yok be kardeşim. Hiç olur mu? Biz mektep arkadaşıyız. Keyfi yerindeyse ölüyü bile güldürür kerata. Acaba şimdi ne yapıyordur, nerelerdedir kim bilir?"

"Valla Tahir Bey, Ali Bedri Bey hakkında söylenenler doğruysa herhalde bizden daha eğlenceli işlerle vakit geçiriyor olmalı diye düşünüyorum."

"Demek çapkınlık hikâyeleri sizin de kulağınıza geldi."

"Yapmayın efendim, sağır sultan bile duymuştur."

Tahir sustu, sonra "Aslında burada olsaydı ne yapardı diye düşünmekten kendimi alıkoyamıyorum" dedi, sonra kendi kendine konuşur gibi "Ama burada değil onun için ne yapacağını düşünmenin bir faydası da yok" diye fısıldadı.

Yolculuğun geri kalan kısmında Tahir zaman zaman gözlerini ufka dikip durdu, zaman zaman da uyur gibi yapıp kimseyle konuşmamaya çalıştı. Gemi yanaştığında herkesin toplanması uzun sürdü. Her kafadan ayrı bir ses çıkıyordu. Bütün hazırlıklar tamamlandığında cepheye doğru yürüyüş başladı.

Neredeyse sabaha karşı gün ağarmaya başladığında Bomba Sırtı'na varabildiler. Tabanları yanıyordu, kulakları tüfeklerin gümbürtüsünden sağır olmuştu adeta. Arazi kurak ve tepelikti. "Ne musibet yermiş Allah'ım" diye geçirdi Tahir içinden. Gözleriyle etrafı taradı. Bütün tepeler birbirinden farksız gözüküyordu. Etrafta işaret olabilecek en ufak bir iz yoktu. Tüfeklerini bir kol mesafesinden uzak tutmayarak hemen hendek kazmaya koyuldular. Yaylım ateşinin nereden geleceği belli olmuyordu.

Kumandanları olan genç binbaşı güçlükle ayakta duruyordu. Yaralı değildi ama bu boylu poslu yakışıklı adam belli ki dizanteriye yenik düşmüştü. Avurtları çökmüş, gözleri ateşten alev alev yanıyordu. Sesi yorgun çıkıyordu ama tonundaki azim ve kararlılık görünüşündeki zavallılığı unutturuyordu.

"Beyler" dedi, "Az ve öz konuşacağım. Kulağınızı açın ve dinleyin, zaten bir kere söyleyeceğim. Halimizi kendiniz de görüyorsunuz. Düşmanla aramızdaki mesafe azami sekiz-on metre, bazen altı metreye dahi düşüyor. Kendinizi gösterdiğiniz anda vurulursunuz. Ellerinde periskoplu tüfekler var. Yani siz onları görmeseniz bile onlar yerin içinden sizi görebiliyorlar. Ama hal ne olursa olsun bu tepeleri bu mendeburlara bırakmayacağız. Bunu böyle bilin. Allah gazanızı mübarek etsin".

"Etsin de, nasıl edecek?" diye düşündü Tahir. Ama gece çökünce, tüfekler susup toz toprak yatışınca binbaşıya yerden göğe hak vermek zorunda kaldı. Düşman siperiyle aralarında olsa olsa on-

on iki metre vardı. Konuşmaları, öksürüklerini duyuyorlardı. Zaman zaman karşı taraftakiler aralarında gülüşüyorlardı bile.

Siperler ağzına kadar yaralılarla doluydu. Yaralılar bu daracık, boğucu labirentlerde bir yandan inliyorlar bir yandan da yaralarına konan sinekleri mecalsiz kollarıyla kovalamaya çalışıyorlardı. Kokuya alışmanın imkân ve ihtimali yoktu. Tahir cepheden geriye sevk edilmeyi bekleyen yaralıların sabaha çıkmayacağını gözlerinin fersiz bakışlarından anlayabiliyordu. Belki de onlar da anlıyordu ama son bir gayret canlarını teslim etmemek için direniyorlardı. Sahra tuvaletlerinin üzerinde bir karabulut belli belirsiz hareket ediyordu. Yanına biraz yaklaşınca Tahir milyonlarca sineğin buraya üşüştüğünü anladı. Sinekler insanın her yerine zamk gibi yapışıyordu. Ağzına sinek kaçırmadan bir yudum su içmek bile insana nasip olmuyordu.

Gün ağarınca karşı taraf hücumu artırdı. Artık kurşunlar başlarının üstünden uçuşmaya başlamıştı. Öğlene doğru yanındaki askerden derin bir iç çekiş duydu. Dönüp baktığında garibanın beyninin yarısının yumurta akı gibi aktığını gördü. Şarapnel Azrail'in ta kendisiydi. Nereden gelir, nereye gider, hiç belli olmuyor, adamı ansızın yakalıyordu. Adamın beyni akmasına akmıştı da bir türlü ölemiyor, vücudu titreyip can çekişiyordu. Tahir bari rahat ölsün diye zavallıyı ayağının dibine yatırdı. Kendi tüfeğini bırakıp onunkiyle ateş etmeye başladı. Bu yaptığına kendi de şaşırdı. Karşı taraftan bir can da o alsa kim bilir memleketinde hasretle beklenen, yerde artık cansız yatanın intikamını mı alacağını düşünüyordu? Bilinmez, zaten durup düşünmeye vakit yoktu.

Ateş iki gün boyunca dinmedi ama mayısın 24'ünde iki tarafın ölülerini gömebilmesi için nihayet ateşkes ilan edildi. Tuhaftır, Çanakkale Harbi boyunca bu ilk ve son ateşkes olacak, iki taraf birbirlerini tüketene kadar mücadele verecekler, ölüler de düştükleri yerde sineklere yem olup çürüyecekti. Komutanlar önce her iki tarafın kendilerine ait çukurlara gömülmesine karar verdiler ama çok geçmeden bu işin imkânsızlığı anlaşıldı. O zaman askerlere kimi bulurlarsa gömmeleri emri verildi. Ama ölüler şişmiş ve kararmıştı. Çukurlara sokabilmek için garibanlara bir de süngü batırmak zorunda kalıyorlardı. Bu ise, düşman ateşinden korunmak için ölüleri kum torbası gibi kullanmaktan da beter bir şeydi. Öldükten sonra bile rahat yüzü görmeyenler ahirette ne yapardı kim bilir. Bir de üstlerine kireç döküyorlardı.

"Tevekkeli değil" dedi Tahir içinden, "cepheye ilk geldiğimde adamların yürekleri nasır tutmuş diye düşünmüştüm, ölümden bahsederken ne kadar rahatlar demiştim". Genç bir teğmen gözünden yaş gelene kadar katıla katıla gülüp Tahir'in gelişinden bir süre önce kafası kopan bir askeri anlatıyordu. Gülmekten nefes alabildiğinde ise habire, "Kafası bok çukuruna, düşün, bok çukuruna düştü!" diye tekrarlıyordu. Etraftaki herkes onunla beraber, hayatlarında bu kadar komik bir şey duymamış gibi gülüyorlardı. "Adam abdestini yaparken ne olduğunu anlamamıştır bile. Böyle de ölünür mü be?"

Ölülerin gazını boşaltmak için süngü sokulduğunu gördüğünde Tahir genç subayı anlamaya başladı.

Bir günlük bir ateşkesten sonra çarpışmalar tekrar başladı. Şarapneller bazı yeni kazılan mezarlardaki cesetleri de havaya uçuruyordu. Uyumak söz konusu değildi, Özellikle de sinekler rahat vermiyordu, iki cephe arasında kalan ölüleri bırakıp ağzına burnuna giriyorlardı. Bomba Sırtı'nda bir süre sessizlik hüküm sürse de, diğer cephelerden silah sesleri geliyordu. İngiliz gemileri karayı bombalar ve Anzak birlikleri tepeleri ele geçirmeye çalışırken, Türkler de çıkarma yapanları ateş altına almıştı. Güneşin sıcaklığını yansıtan çıplak kayalar yakıyordu. Ölüm kokusu burunlarına dolmuştu.

Yıllar sonra dahi bu günleri düşündüğü an ilk olarak o kokuyu hatırlayacak, aynı ümitsiz bulantıyı hissedecekti. Tanınmayacak kadar toz toprak içindeydiler, günlerce aç kalıyorlardı. Damarlarında artık kan yerine yorgunluk dolaşıyordu. Gene de bilinçaltındaki bir duygu, akıllarını yitirmelerine engel oluyordu. Hayatta kalmaya kararlıydılar. Belki de yaşama şansları olmadığını düşünmek onları kamçılıyordu.

Bütün bunlara rağmen Tahir'in cephede geçireceği günler sayılı olacaktı. Yirmi ikinci gününde dört kişilik bir keşif grubunun başına getirildi. Aniden dört adamının da birbiri ardına vurulduğunu gördü. Her şey hiç beklemedikleri bir anda olmuştu. Bir metre ötedeki bir çukura kendini atıp korunmaya çalıştı ama çok geç kalmıştı. Periskoplu tüfek işi halletti. Sonradan o anı düşündüğünde sadece havaya fırladığını hatırlayacaktı. Sonra her şey tatlı bir karanlığa büründü.

Öğle saatlerinden hava kararmaya başlayana kadar, kızgın güneşin altında ölülerin arasında kendini bilmeden yattı. Öldüğünü zannederek onu da bir yığın cesedin arasına attılar, zaten inlemeyen, hiç kıpırdamadan yatan yaralılarla ölüleri ayırmak hiç kolay değildi. Gece yarısına doğru bilinci yerine gelir gibi olduğunda gözlerini açamadı. Kendi de öldüğünü zannetti. Ama nasıl öldügünü hatırlamıyordu. Ayaklarını, ellerini hissediyordu ama sanki mezara konmuştu ve üzerinde toprağın ağırlığı vardı. Öyle bütün hayatı gözünün önünden geçip gitmiyor, azap içinde ölü mü diri mi onu anlamaya çalışıyordu. Sesini sadece kendi duyuyor dolayısıyla ses çıkartıp çıkartamadığını bilemiyordu. "Kabir azabı bu" diye düşünüyordu. "Eğer bir ahiret varsa Allahım al beni de oraya" diye dua etti. "Cennet ya da cehennem herhalde bundan iyidir" diyordu. Her taraf karanlıktı. Kulakları tıkanmış gibiydi ya da ölüler hiçbir şey duymuyorlardı.

Yaralandığının ertesi günü, vapurda tanıştığı teğmene Tahir'in vurulduğu ve hayatını kaybettiği haberi geldi. Tahir'le az tanışsalar dahi ona saygı duyan bu genç adam başında bir fatiha okumak ve üzerindeki kıymetli eşyaları cephedeki çapulcular kapmadan ailesine gönderebilmek için ölülerin yanına geldi. Arkadaşlarının da yardımıyla çukurdaki diğer ölüleri bir tarafa iterek Tahir'in naaşının yanına gelebildi. Fatihayı okuyup üfledi son bir kere Tahir'in yüzüne baktı. Elini ceketinin iç cebine sokarken Tahir'in hâlâ sımsıcak olduğunu, biraz daha dikkatli bakınca göğsünün hafif hafif inip kalktığını fark etti.

"Koşun" diye haykırdı "Bu adam sağ be, ölmemiş, gelin şunu çukurdan çıkartalım. Allahım sen ne büyüksün, iyi ki gelmişim. Adam diri diri ölülerin altında gömülü kalacaktı. Tutun! Yavaş be bu sefer de garibi siz öldüreceksiniz. Şu kenara bir yatıralım". Askerlerden biri, "Teğmenim bu adamdan hayır gelmez. Bıraksaydık kendi haline. Bu iflah olmaz" dedi. Teğmen hiç duymamış gibi, "Sedye nerede, haydi yaralıların yanına götürelim" diye emir verdi. Asker, "İyi, pekiyi" dedi; bıyık altından da, "Bu çukurdan kurtulduysa herhalde başka çekeceği vardır" diye homurdandı.

Teğmen, diğer yaralıların arasına konan Tahir'e yine fırsat buldukça bakmaya gayret etti. Kuruyan dudaklarına su sürdü. İçirmeye çalıştı. Bu arada Tahir'le birlikte yaralanan çoğu asker cephe gerisindeki derme çatma sahra hastanesinde öldü. Ama Tahir ölmedi. Acılarıyla, ağrılarıyla baş başa kaldı. Çok talihliydi, çarpışmalar bu derece acımasızca sürerken kimsenin yaralılarla ilgilenecek hali yoktu, öldüğü zannedilen birçoğu son nefesini vermeden gömülmüştü. Bir süre sonra İstanbul'a hastaneye sevk edildi.

Genç teğmen Tahir'in ev adresini bilmediği için, yaralandığı haberini kendi mahallelerinde bulunan Ali Bedri'nin evine gönderdi. Çanakkale'ye gelirken vapurda Tahir'in sınıf arkadaşından büyük sevgiyle bahsettiğini hatırladığı için onun Tahir'in ailesini bulacağını düşünmüştü. Telgraf geldiğinde Aslı evde, evin diğer kadınlarıyla yalnız başınaydı. Ali Bedri'nin eve ne zaman geleceği her zaman olduğu gibi belli değildi. Çaresiz, vakit kaybetmemek için Tahir'i kendi başına aramaya karar verdi. Yeldirmesini giydi, peçesini taktı ve doğru Harbiye Nezareti'nin yolunu tuttu.

* * *

Aslı savaş başladıktan sonra kendileri için sanki hiçbir şey değişmemiş gibi davranmıştı. Sanki böyle davranırsa savaştan korunacağını, masa altına saklanan çocuklar gibi savaşın kendi ailesini göremeyip, onlara dokunamayacağını düşünmüştü. Ali Bedri cepheye çağrılmadığından dolayı kendisini şanslı sayıyordu. Ayrıca, kendince, elinden geleni yaptığını düşünüyordu: Ne de olsa yaralılara sargı bezi hazırlamak için keten çarşaflarını ve masa örtülerini kesmemiş miydi? Günlerce bezleri kaynatıp sterilize etmiş, sımsıkı kapattığı kutulara doldurarak Kızılay'a göndermişti.

Şimdi ise Tahir yaralanmıştı. Her şeyin eskisi gibi olduğu hayali yıkılmıştı. Daha o sabah Cennet pazardan eli neredeyse boş dönmüştü. Geldiğinde eli ayağı titriyor, panik içinde "Hanımım, çok korkunç şeyler söylüyorlar. Düşman denizin altındaymış" diye ağzında bir şeyler geveliyordu.

"Saçmalama" diye Aslı sertçe çıkıştı.

"Ama doğru, herkes biliyor. Denizin üstünde değil, altında giden gemileri varmış. Geminin bacasını görmüşler. Tam burnumuzun dibinde, Boğaz'da."

"Cennet, gemiler suyun altından yürümez. Hiçbir şey olmayacak. Haydi, sen işine bak. Bula bula odun gibi pırasaları mı buldun? Kaç saat pazarda dolaştın. O mahalle karılarıyla abuk subuk konuşmaktan doğru dürüst etrafına bakınmamışsın sen anlaşılan."

"Ama, hanımım..."

"Aması filan yok. Böyle saçma sapan konuşmanı istemiyorum, hele Güzide'nin yanında." Cennet sabah sabah hanımının sinirini bozmuştu. Bozmuştu da, biraz sonra gelecek olan haber "Bana dokunmayan yılan uyusun" diyen Aslı'yı topyekûn rüyasından uyandırıp gerçekle yüz yüze getirecekti.

* * *

Harbiye Nezareti'nin önüne geldiği zaman içi ürpere ürpere başını kaldırıp baktı. Devasa binanın önünde iki asker, yeşil bir çuhaya sarılı topun yanında sessizce nöbet tutuyordu. Çuhanın üzerine çeşitli değerli eşyalar iğnelerle tutturulmuştu. Bir zamanlar kuğu gibi boyunları süsleyen altın zincirler, kibar beyefendilerin ellerinden tespih gibi bırakamadıkları saat köstekleri, minik broşlar, en çok da âşıkların evlilik vaadinin resmiyete dökülmesinin simgesi olan gümüş ya da altın alyanslar görülüyordu.

Aslı bir kere daha sarsıldı, "Demek vaziyet bu kadar kötü" dedi kendi kendine. "Koskoca Osmanlı savaşa destek vermek için kadınların elindekilere avucundakilere kaldıysa vay halimize" dedi. "Demek savaşa destek bir tek keten çarşafları kesip kaynatıp sargı bezi yapmakla olmuyormuş" diye başını öne eğdi tekrar. İçi daralmış, durumun vahametiyle ezilmiş olarak kırık menteşeli kocaman kapıdan geçerken oraya kendi oğlunu aramak için de gelmiş olabileceğini düşündü.

Kapıdaki nöbetçiye ne istediğini söyleyince onu ikinci kattaki bir odaya gönderdiler. Oda her yaştan kadınla doluydu, hatta kimisi evde bırakacak kimi kimsesi olmadığından çocuklarıyla gelmişti. Bazılarının birbiriyle samimi bir ifadeyle konuştuğunu duyan Aslı, buraya ilk defa gelmediklerini anladı. Belli bir düzen yoktu ama hepsi kadere teslim olmuş şekilde kendi sırasını bekliyordu. Çoğu aç ve uykusuz görünüyordu. Alışverişi kendisi yapmasa da, hizmetçisinin anlattıklarından insanların saatlerce kuyrukta beklediğini, buğday bulunmadığı için kalitesiz mısırdan yapılmış bir parça ekmeğe razı olduklarını biliyordu. Bazı günler bunu bile bulamıyorlardı. Şeker neredeyse mücevherden pahalı olmuştu. Ziyarete gelenlere şekerli kahve ikram ettiği zaman, kendisinden daha zor durumda olan komşularının gözleri parlardı. Aslı tedarikli yaşamayı öğrenmişti, evinde hiçbir şey eksik değildi. Bunu ne kadar daha sürdürebileceğini kendisi de bilemiyordu, işlemelerinin ve telkârilerinin çoğunu, kuyumcusu Karabet Efendi aracılığıyla bulduğu Kapalıçarşı'daki Ermeni'ye satmak zorunda kalmıştı. O zamanlar daha savaşın başlarıydı, iyi bir fiyata gidiyordu, ama artık daha değerli eşyalar bile bir kilo şeker almaya yetmiyordu.

Kocalarını ve oğullarını arayan bu kadınlar belli ki onun kadar şanslı değildi. Vücutları dahi fakirlik ve açlık kokuyordu. Belki de gaz lambasından birazcık olsun ışık alabilmek için, zor bulunan parafin yerine kendi idrarlarını yakıyorlardı. Kimilerinin bu yöntemi uyguladığını Cennet'ten öğrenmiş, o da pazara gittiği zaman duymuştu.

Kendi sırası gelince, masadaki delikanlının kendisine diğer kadınlardan daha saygılı hitap ettiğini fark etti. Çanakkale'den telgraf aldıklarını, Tahir'in yaralandığını ve tedavi için İstanbul'da bir hastaneye gönderildiğini öğrendiklerini söyledi. Genç adam hemen küstahlaştı: "Ölmediğine şükredin" dedi, asabi bir tavırla, "yaralanan her askerin veya subayın kaydını tutmamızı veya hangi hastaneye gönderildiğini takip etmemizi mi bekliyorsunuz?"

"Ama mutlaka bazı kayıtlarınız vardır..."

"Bakın, buradaki kadınlar kocalarının yaşayıp yaşamadığını dahi bilmiyor. Bazıları hangi cepheye gönderildiklerinden dahi habersiz. Dolayısıyla kendinizi şanslı addedin. Bu bahsettiğiniz Tahir Bey'in ülkesi uğruna yaralanmasının bir şeref olduğunu unutmayın ve..." Böyle muamele görmeye hiç mi hiç alışık olmayan Aslı vaazın sonunu bekleyemedi, gerisin geriye dönüp merdivenlerden koşarcasına indi. Kendisini dışarı atıp temiz havayı içine çekti. Gözüne ilişen ilk arabaya işaret etti ve en yakındaki hastaneye gitmesini söyledi.

Duygularına tamamen hâkim olmayı bilen yetişkin bir kadın olmasına rağmen hastanenin hali onu perişan etti. Yer darlığı ve böyle bir duruma hazırlıksız yakalanmak korkunç bir duruma neden olmuştu. Yaralı adamlar koridorlardaki kamp yataklarında ikişer ikişer yatıyordu. Hastabakıcılar bitkindi, onlardan daha berbat görünen doktorlar bir yataktan diğerine sürükleniyor, ölmekte olanlara ancak teselli verebiliyorlardı. Başı sargılar içindeki genç bir adam bir kalem istedi, belki de sevdiği birine veda mektubu yazacaktı. Kimse hastaların kaydını tutmamıştı. Kimse ne olup bittiğini bilmiyordu.

Kocasını kaybettiğinden beri ilk defa, içinden hıçkırıklar yükseldiğini hissetti. Gözyaşlarını kontrol edemiyordu. Senelerdir içine bastırdığı haykırışlar yaralı bir hayvanın uluması gibi boğazından hiçbir süzgece takılmadan etrafa yayılıyordu. Aslı'nın halini gören genç bir subay yanına yaklaştı.

"Ne oldu efendim, neyiniz var?" dedi. Aslı güçlükle "Tahir, Tahir yaralanmış" diye fısıldadı. Genç subay "İşimiz iş" diye aklından geçirdi, "teyzenin Sarı Çizmeli Tahir'i bulması pek kolay olmayacak" dedi kendi kendine. Yine sordu, "Peki hangi cephede yaralanmış?"

Aslı biraz önceki haykırışlarından utanıp kendini toparlayarak, "Çanakkale'de" diye cevap verdi.

"O zaman Bahriye Hastanesi'ni deneyin. Kimse size söylemedi mi?" Aslı teşekkür edip dışarı fırladı. Hava kararmaya başlamıştı, bütün hayatı boyunca akşam ezanından sonra tek başına sokaklarda kalmamıştı. Gene bir arabaya binmek için işaret edince arabacı bile şaşırdı. Aslı "Bahriye Hastanesi'ne götürün" deyince de yumuşadı. Arabasına binen kadının son aylarda aynı kaderi paylaşan binlercesinden biri olduğunu anlamıştı. Arabayı hızla hastaneye sürdü, onu bekleyeceğini ve evine sağ salim bırakmadan para almayacağını söyledi.

Bahriye Hastanesi Aslı'nın gözüne daha düzenli göründü. Gecenin sükûneti çökmüş, belli ki ertesi sabaha çıkamayacak hastalar sakinleşmişti. Ancak burada da hastaların kaydı tutulmamıştı. Cepheden gelen herkesi fazla soru sormadan koğuşlara yığmışlardı, ölüm kalım söz konusu olduğunda kimsenin kayıtla uğraşacak vakti olmuyordu anlaşılan. Aslı bir koğuştan diğerine gidip yaralıların yüzlerine bakıyor, konuşacak halde olanlara sorular soruyordu. Diğer hastanedeki genç adam haklı çıkmıştı: Buradakilerin çoğu Çanakkale'de yaralanmıştı. Her iki bacağı da kesilmiş olan bir asker Aslı'nın hastabakıcıyla konuşmasını duydu.

"Anacığım, daha fazla arama, oğlun burada. Koğuşun sonuna git. Teğmen Tahir'le ben buraya birlikte nakledildik." Askerin sesi, durumunun vahametine rağmen neredeyse neşeli gibiydi.

Aslı nihayet Tahir'i buldu. Köşede, daracık bir kamp yatağında yatıyordu. Eğer söylemeselerdi, bu halde onu dünyada tanıyamazdı. Her iki gözü de sargılar içinde, etrafında olup bitene kayıtsız bir şekilde uzanmıştı.

"Tahir, oğlum, ben geldim, Aslı, Ali Bedri'nin annesi" dedi Aslı, bir yandan da ellerini tuttu. Tahir'in ağzı gülümsemeye ya da tanıdığını belli etmeye çalışırcasına garip bir şekilde büküldü, yatakta doğrulmaya çalıştı.

Hastabakıcı "Mermi kulağından girip sol gözünden çıkmış" dedi, "sinirler kesildiği için ağzını açamıyor". Yutkunarak devam etti: "Maalesef artık tek gözü görmez."

"Yeter ki hayatta kalsın" diye içini çekti Aslı, gözlerini bir an bile Tahir'den ayırmadan. "Ama neden her iki gözü de kapalı?"

"Bilmem" dedi hastabakıcı. "Bir gözünü kaybettiğini söyleyen doktor, herhalde öbürünün neden kapatıldığını da söylemiştir".

"Anlamadım, kendisine söylendi mi? Yani, gözünün görmeyeceği..."

"Tabii, neden olmasın? Oğlunuz talihli olanlardan biri. Şükretmeniz lazım."

Aslı'ya son iki saat içinde ikinci kez ne kadar müteşekkir olması gerektiği söyleniyordu, ama bunun üzerinde duracak hali yoktu.

"Eve götürebilir miyim?"

"Daha iyi olur. Gidip doktorun imzasını alayım. Sizin ellerinizde daha çabuk iyileşeceğinden eminim."

Tahir'in taburcu edilme işlemleri çabucak halloldu. Hastane personeli yer açılmasına sevinmişti, yaralı akını her gün artıyordu. Aslı'nın bolca bahşiş verdiği hastabakıcı, Tahir'i kapıda bekleyen arabaya taşıdı.

Arabadan eve ise, iyi kalpli arabacı ve iki kadın, alışık olmadıkları için yaralıyı hastaneden daha zor taşıdılar. Önce kendine biraz gelsin diye Aslı ve Cennet ona kaşıkla şekerli süt içirdiler; ağzını açamadığı için başka bir şey yutmasına imkân yoktu. Sonra göğsünü sabunlu bezlerle silip keten bir gecelik giydirdiler. Temiz, kolalı çarşafların serinliği vücudunu iğneledi. Derken uykuya yenik düştü. Artık savaşmıyordu. Sadece çarşafların lavanta kokusu ve yatağın rahatlığı vardı o anda.

Ali Bedri eve sabaha karşı geldi. Annesini sahanlıkta, elinde bir sürahi sütle misafir odasına giderken görünce şaşırdı. "Ne oldu anne? Niçin bu saatte ayaktasınız?"

"Tahir burada, Ali Bedri. Kötü yaralanmış maalesef."

"Ne zaman? Nerede?"

"Dur, heyecanlanma, bağırıp onu uyandırma. İçeride yatıyor."

"Neden bana bildirmediniz?"

"Nasıl haber vereyim ki? Seni nerede bulacaktım? Kaybedecek vakit yoktu, ben de onu hastaneden kendim alıp buraya getirdim."

"Hem de tek başınıza! Anne, nasıl yaptınız böyle bir şeyi, hele ben varken?"

"Ali Bedri! Hiç unutmuyorum, kızın doğduğunda da seni bulamamıştık, onun için kendi başımın çaresine baktım oğlum."

Annesine fırsat vermeden Tahir'in odasına hızla yürüyen Ali Bedri'nin arkasından Aslı yorgun bir sesle, "Aman uyandırmayasın. Zaten yeteri kadar heyecan çekmiş" diye seslendi ama Ali Bedri çoktan odaya girmiş, kapıyı da arkasından kapatmıştı.

Ali Bedri, yüzü sargılar içinde, ölü gibi yatan arkadaşına sessizce uzun uzun baktı. Tahir son derece çaresiz görünüyordu. Okuldaki ilk gününde onu kabadayı çocuklardan koruyan kahraman ve girişken delikanlı bu muydu? Çöllerde dövüşen ve en yakın arkadaşının dahi iş teklifini geri çeviren gazi bu hale mi gelmişti? Tahir'in kor gibi yanan eline dokundu. Tahir de yavaşça onun elini tuttu ve takatının yettiği kadar sıktı.

"Her şey yolunda. Artık evindesin, kardeşim. Seni bırakmayacağım."

Ali Bedri'ye sanki Tahir başıyla onaylıyormuş gibi geldi. Fark etmeden gözlerinden boşanan yaşların ıslaklığını yüzünde hissetti. Ali Bedri daha fazla dayanamadan odadan ayrıldı.

İlk günlerden sonra Tahir hayret edecek bir hızla iyileşmeye başladı. Birkaç hafta sonra ağzını açabiliyor ve artık yemek yiyebiliyordu. Nihayet gözlerindeki sargılar da çıkarıldı. Bahriye Hastanesi'ndeki hastabakıcının söylediği gibi, bir gözünü kaybetmişti.

Her gün Ali Bedri bir saat kadar onun yanında oturuyor, aklına gelen komik hikâyeleri anlatıyordu. Bazen Tahir de tebessümü andıran bir yüz hareketiyle cevap veriyordu.

Önceleri savaştan hiç söz etmek istemedi. Çünkü dizanteriden, sineklerden, mermilerden perişan olmuş insanların halini görmeyenler, bunun ne demek olduğunu anlayamazdı. Fakat aradan vakit geçince arkadaşlarından, siperlerden, korkudan, ölümün kokusundan bahsetmeye başladı. Bunları Ali Bedri ancak kitaplarda okumuştu. Tahir konuşmaya başladığı zamanlarda odada başkası yokmuş gibi davranıyordu. Ali Bedri de yanında hiç soru sormadan sessizce duruyordu. Ali Bedri yanından ayrıldıktan sonra günün geri kalan vaktini odasında geçiriyor, dışarıya hiç çıkmıyordu.

Ali Bedri'nin koluna yaslanıp bahçeye ilk kez çıktığı gün, kendi başına oynayan, yedi veya sekiz yaşlarında küçük bir kız gördü. Dantel yakalı bej keten bir elbise giymişti. Bağcıklı fotinleri neredeyse dizlerine geliyordu.

"Bu senin kızın Güzide mi? Aman, ne kadar da büyümüş! İnanılır gibi değil. Onu tamamen unutmuşum; hiç koşuştuğunu veya bağırdığını duymadım."

"Anneme benziyor, değil mi? Fakat huy olarak kendi annesine çekmiş. Onun kadar sessiz."

Tahir içgüdüsel bir hareketle elini küçük kıza uzattı ve yanına gelmesini işaret etti.

"Boşuna uğraşma. Garip bir çocuktur, bana bile yaklaşmaz."

Halbuki iki erkeğin şaşkınlık dolu bakışları altında Güzide onlara doğru geldi, önce çekingenlikle yaklaştı, derken üstdudağının kenarlarındaki iki gamzeyi ortaya çıkaran kocaman bir gülümseme yüzünü kapladı.

"Güzide, Tahir Amca'nın elini öp. Babanın en iyi arkadaşıdır."

Tahir elini Güzide'nin güzel yeşil gözlerini neredeyse örten kâkülünde gezdirdi. İçinden gelen bu yakınlığa kendisi de şaşırdı. Güzide'nin uzun sarı saçları mor bir fiyonkla ensesinde toplanmıştı. Beline kadar sarkan ipek kordonun ucunda bir muska asılıydı.

"Güzide, bu kadar büyümüş olacağını düşünemedim. Sen artık abla olmuşsun. Neden gelip beni odamda ziyaret etmedin? Bilirsin, bütün gün yatakta yatmak zorunda kalınca insan yalnızlık çekiyor."

"Size birkaç kere bakmak istedim, efendim, ama babaannem sizi rahatsız etmememi söyledi."

"Şimdi çok daha iyiyim. Hem madem resmen de tanıştık, artık beni ziyaret edebilirsin."

"Pekiyi, efendim, babaanneme sorup gelirim."

Bu sözler üzerine bir reverans yapıp içeri koştu.

"Sahi, Ali Bedri, eşini de görmedim. Hâlâ evlisin, değil mi?"

Ali Bedri bir süre sessiz kaldı. "Evet, dostum, hâlâ evliyiz, eğer buna evlilik dersen. Tahir, bu kadın mumya gibi bir şey. Ne yapacağımı bilemiyorum. Gidecek bir yeri olsa geri göndereceğim. Ama kimsesi yok şu koca dünyada. O kadar da saf ki. Eşlik görevlerini bile doğru dürüst yapamıyor."

"Ama Ali Bedri, bu durum başkalarıyla birlikte olmana engel olmuyor, değil mi?"

Ali Bedri buruk bir tebessümle cevap verdi: "Sabah olunca isimlerini dahi hatırlamıyorum, Tahir. Hep böyle oldu. Kendilerini kucağıma atıyorlar, benim bir şey yapmama gerek kalmıyor."

"Gene de onları cezbetmekten hoşlanıyorsun, değil mi?"

"Sanırım alışkanlık haline geldi. Bu lanet sigaralar gibi. Bir kere başlayınca tiryakisi oluyorsun. Sen bırakmak istesen, onlar seni bırakmıyor."

"Ali Bedri, içeri girelim. Biraz başım dönüyor. Sanırım ilk gün için bu kadar yeter."

Sonraki günlerde iki arkadaş bahçe gezintilerine devam ettiler. Her seferinde Tahir kendini biraz daha iyi hissetmeye, Ali Bedri'nin desteğine daha az ihtiyaç duymaya başladı. Sağlığı düzeldikçe eski meraklılığı da geri gelmişti.

Ali Bedri'ye vekâletteki işiyle ilgili bir sürü soru soruyordu. Dünyada neler olup bittiğini bilmek istiyordu. Sohbetleri zamanla siyasi yönlere de kayıyordu. İki arkadaşın aynı görüşte olmadığı çok husus vardı. Tahir'in yabancılara karşı olan fikirlerini Ali Bedri paylaşmıyor, Batılı devletlerle büyük bir savaş içinde olsalar da Batı hayranlığından vazgeçemiyordu.

"Ama hepsi de kötü değil, yani kişisel yaklaşırsak. Örneğin Mösyö Bartolome. Hatırladın değil mi?"

"Hatırladım tabii. Ne oldu, öldü mü?"

"Yok canım, ne ölmesi. Onun sayesinde Hariciye Vekâleti'nde başmütercimliğe terfi ettim."

"Ali Bedri, bu nasıl mümkün olabilir? Fransızlarla harp halindeyiz, unuttun mu?"

"Fransızlara karşı savaştığımızı biliyorum tabii, ama mezun olduktan sonra ilk işime başladığımdan beri Mösyö Bartolome bana yardım etti."

"Bunu nasıl yapabilir? Affedersin, ama söylediklerinden hiçbir anlam çıkaramıyorum."

O sırada Aslı elinde gümüş bir tepsiyle yanlarına geldi.

"Tahir, iyi gıda alman lazım. Biraz gül reçeli ye. Kendi ellerimle yaptım."

Tahir her zaman o kadar saygılı davrandığı Aslı'ya bakmadı bile.

"Ali Bedri, o sana nasıl yardım edebilir ki?"

"Yani, nasıl söylesem ki, tercümelerin çoğunu benim yerime o yaptı."

"Ne dedin?"

"Tahir, oğlum, şu gül reçelinin sahiden tadına bakmalısın. Yaprakları çardağa tırmanan sarmaşık gülünden topladım."

"Tercüme etmem gereken belgeleri, raporları, her ne gelirse alıp ona götürüyorum. O da benim yerime tercüme ediyor. Bütün yapacağım iş, kendi el yazımla kopya edip ertesi gün sunmak. İyi değil mi?"

Aslı gene araya girdi: "Tamam, tepsiyi yanınıza bırakıyorum. Kayısı reçelini tercih ederseniz Cennet size getirir."

"Aslı Teyze, sağ olun, bu gayet iyi" dedi Tahir, oldukça sabırsızlıkla. Aslı bir şey söylemeden eve girdi. Ne de olsa Tahir çok büyük ıstıraplar çekmişti. Kırk yılda bir garip davransa ona kızılamazdı.

Tahir bir müddet konuşamadı, sadece yerdeki kuru yaprakları seyredip ayaklarıyla ezdi.

"Ne oldu, Tahir? Bir terslik mi var? İyi misin?"

"Ali Bedri, bu yaptığın vatana ihanettir. Derhal vazgeç!" dedi ve arkadaşına veda etmeden içeri girdi.

Birkaç gün sonra Tahir Aslı'nın evinden ayrılmaya karar verdi. Neredeyse eski haline dönmüştü, artık bu iyi kalpli insanları daha fazla rahatsız etmenin anlamı kalmamıştı. Ali Bedri'nin bahçede ona söyledikleri aklından çıkmıyordu. Mösyö Bartolome, saf ve tembel arkadaşından muhtemelen bütün devlet sırlarını öğreniyordu. Tahir bu insanlara karşı savaşmıştı. Ali Bedri ise... Yetkililere durumu bildirse Ali Bedri mutlaka hapse atılır, hatta vatana ihanetten idam bile edilebilirdi. Ayrılmadan önce bir kere daha Ali Bedri'yle konuşmayı düşündü, fakat söze nasıl başlayacağını bilemiyordu. Uygun bir zaman kollarken Ali Bedri konuyu kendisi açtı.

"Tahir, bizi bırakacakmışsın. Seni özleyeceğim, sevgili dostum. Şimdi ne yapmayı düşünüyorsun?"

"Ne kadar istesem de artık aktif hizmete dönemem. Herhalde Maliye Vekâleti'nde veya onun gibi bir yerde bir işe başvururum. Biliyor musun, Ali Bedri, bana öyle geliyor ki İstanbul bana göre değil. Belki de taşrada bir görev alırım ve kitaplarıma daha fazla vakit ayırırım."

"Eğer gerçekten istediğin buysa, yapabileceğinden eminim. Gitmeden sana söylemek istediğim bir şey var. Mösyö Bartolome'ye bunda böyle tercümelerine ihtiyacım olmayacağını bildirdim."

"Sahi mi?" diyebildi Tahir, gözleri parlayarak.

"Evet, aynen öyle dedim. Sen vatana ihanet gibi ağır kelimeler kullandın. Ama mahcup olacaksın. Biliyor musun ne dedi? Artık yorulmaya başladığını, eskisi gibi genç olmadığını, dolayısıyla da bu karardan memnuniyet duyduğunu söyledi. Gördün mü, telaşlanacak bir şey yokmuş. Nazik adam zaten, görmüş geçirmiş, ne de olsa Avrupalı; yine de beni korumak için, o da kimseye bundan bahsetmememi tembih etti. Tabii ona seninle konuştuklarımızdan söz etmedim. Sadece 'İşlerim eskisi kadar yoğun değil'dedim. Anlarsın, duygularını rencide etmemek için. İşte bu kadar. Her zaman ki gibi boşuna endişelenmişsin. Ne kadar vesveselisin, Tahir! Aynı zamanda karamsarsın da... Sanki bütün dünyanın yükünü omuzlarında taşıyorsun. Bu dünyaya güzel yaşamak için geldik, başkaları adına eziyet çekmek için değil."

"Ama, Ali Bedri, etrafında bu kadar ıstırap görürken hayattan nasıl zevk alabilirsin? Ya Çanakkale siperlerinde ölenler? Ya Trablus çöllerinde hayatlarını kaybedenler? Onlara ne demeli?"

"Bak birader, sen çölde ya da Çanakkale'de ölmedin değil mi, öyleyse haline şükret ve hayatın tadını çıkarmaya bak."

Tahir ne derse desin akıntıya kürek çektiğini anlamıştı. Başını eğip, "Pekiyi, bunu aklımda tutmaya çalışacağım" dedi.

* * *

Ali Bedri hiçbir zaman insan sarrafı olamadığı için bu sefer de Bartolome hakkında yanılmıştı. Bartolome hayatından hiç mi hiç memnun değildi, hatta öfkeden çıldırmıştı. İstanbul istihbaratının başı Mösyö Rambert de ateş püskürüp Bartolome'yi beceriksizlikle suçluyordu. Halbuki Rambert o güne kadar Bartolome'nin çalışmalarından ne kadar da memnundu, tam da muhbirlerinden beklediği gibi hem ağzı sıkıydı, hem de verimliydi. Bartolome de bu düzenden mutluydu. Başarılarıyla kimseye övünemese de Fransız gizli servisine değeri biçilemeyecek bilgiler ulaştırdığını biliyordu. Çipil gözlü Rambert bile her zamanki alaycı tavrını bırakıp kaç kez onu tebrik etmişti. Ve şimdi birdenbire oldum bittim omurgasız olan Ali Bedri bu bilgi akışını kesiyordu. Bunu neden yaptığına Bartolome bir türlü anlam veremedi. Ali Bedri'nin akşamdan sabaha aklının başına gelmesi olacak şey değildi. Birdenbire mi uyanmıştı bu vefasız? Küçüklüğünden beri genç adama duyduğu tutku yavaş yavaş kin ve nefrete, hatta mahvetme isteğine dönüşüyordu. Başka birisi işe karışmış olmalıydı. Ama kim? Rambert, Bartolome'den daha soğukkanlı davrandı.

"O budalaya sakın bizim için önemli olduğunu hissettirme."

"Fakat, Mösyö Rambert, eğer devam etmezse kendisi için kötü olacağını söyleyeceğiz herhalde."

"İşte asıl bunu yapmayacağız, Bartolome. Hâlâ anlamadıysan, tekrar edeyim: Bu tür işlerde mecbur kalıncaya kadar son kozunu oynamayacaksın."

Bartolome mecburen razı oldu. Gene de içinden Ali Bedri'ye unutamayacağı bir ders vereceği günü bekliyordu. Rambert, Bartolome'nin içindeki fırtınaları sezmiş gibi, "Ne sebeple olursa olsun, sakın olayı kişiselleştirip işleri büsbütün karıştırma" dedi, ama Bartolome bunu duymadı bile.

* * *

Kendi evine döndüğü gece Tahir'i uyku tutmadı. Güzide'yi düşündü, ne kadar hoş bir kız olmuştu. Eğer o da Ali Bedri gibi evlenseydi, bir ailesi olabilirdi. Belki bir gün...

Bahçede karşılaştıkları ilk günden sonra Güzide her gün odasına gelmişti. Güzide hiç de Ali Bedri'nin söylediği gibi sessiz bir çocuk değildi, hatta nokta virgül demeden durmadan konuşuyordu. Sorularının ardı arkası gelmiyordu. Çoğuna da kendisi cevaplar buluyordu. Tahir'le oyunlar oynar, tek gözüyle ne kadar gördüğünü anlamak için odanın en uzak köşesine gidip kaç parmağını kaldırdığını sorardı. Tahir beyaz bir perde inmiş gözünü saklamıyor, gözbağı kullanmıyordu.

Bir gün odada konuşurlarken mahalle bekçisinin sesi duyuldu, gene resmi bir duyuru okuyordu. Tahir uzandığı divandan Güzide'ye seslendi: "Git bak bakalım, ne diyor bekçi efendi."

Güzide hemen koşup pencereyi açtı. Birkaç dakika dikkatle dinledikten sonra bekçinin söylediklerini tekrarladı: "Birliklerimiz Çanakkale'de bir zafer daha kazanmışlar, Tahir Amca. Kayıp vermişler, ama hepsi kahramanca ölmüş." "Eminim öyledir, Güzideciğim. Mutlaka sonuna kadar kahramanca direnmişlerdir" dedi Tahir, bekçinin sesi uzakta kaybolurken. Yabancı bir adamın ağzından çıkan birkaç kelime, masumiyetlerini yitiren bu gençlerin kaderini özetliyordu. Somut gerçekler, çektikleri ıstırap, sinekler, pislik anlatılamıyordu ne yazık ki.

Güzide'yi düşünürken Leyla aklına geldi. Evlerinde kaldığı aylar içinde birkaç cümle dışında onun konuştuğunu duymamıştı. Aslı'ya bu konuyu açmaya çalışmış, fakat onun isteksiz olduğunu görünce vazgeçmişti. Aslı Hanım'ın kendisini oğlu gibi sevdiğini biliyordu, gene de bazı şeyler onunla tartışılmazdı. Siz farkına varmadan konuyu değiştirirdi, birdenbire kendinizi sebze yemenin faydalarını, kabağın sağlık için gerekli olduğunu konuşurken bulurdunuz. O zaman da susmanız gerektiğini anlardınız. Hâlâ bir genç kız gibi dimdik duran bu kadında insanı çekindiren, kendine çekidüzen verme ihtiyacını hissettiren bir hava vardı. Zavallı Leyla Hanım'ın ruh gibi ortalarda dolaşması, mahallelinin Aslı'yla salavatla konuşması hep bundan geliyordu. Bunlardan bir tek küçük bey muaftı. Tahir "Hiç büyüyemedin küçükbey" diye düşündü, "evlensen de, çoluğa çocuğa karışsan da, küçükbey geldin küçükbey gideceksin be sevgili kardeşim" dedi içinden, çarşaflarla boğuşup derin, rüyasız bir uykuda kaybolmaya çabalarken.

Ertesi sabah uykusuzluktan yorgun, ama ne olursa olsun İstanbul'dan uzaklaşmak arzusuyla Maliye Vekâleti'ne gidip İttihat ve Terakki Fırkası'ndan tanıdığı arkadaşlarını aradı. Hepsi onu gördüğüne sevindi fakat kimse ona somut bir teklifte bulunamadı. Ümitlerini kaybetmemişlerdi ama çok zor günler geçiriyorlardı. Şimdilik gazi emekliliği bağlatmasını önerdiler; ondan sonra zaten belki de çalışmaya ihtiyacı kalmazdı. Fakat Tahir çalışmak istiyordu. Daha otuz beş yaşındaydı. Bir ay boyunca iş aramaya devam etti.

Derken bir akşam, Selanik'te tanıştığı bir gazeteci onu Londra Bira Bahçesi'ne davet etti. Arkadaki salon boştu. Garson yanlarından uzaklaşıp mermer zemindeki ayak sesleri kaybolunca konuşmaya başladılar.

"Hâlâ bir iş bulamadın, değil mi Tahir?"

"Hayır, Rahmi, maalesef bulamadım. Sen de yaralanmıştın, ne demek olduğunu bilirsin. Düşmanla savaşırken vatan sana ihtiyaç duyuyor, çürüğe çıkınca sana ihtiyacı olmuyor. Bir kenara atılan sümüklü mendilden farkın kalmıyor. Mendil yine benden iyi, onu alır yıkarsın yine kullanırsın, bunlar beni kullanmak istemiyorlar, sarıp sarmalayıp külliyen çöpe attılar."

"Yavaş ol Tahir, memleketin başına bu derdi biz açtık, biliyorsun" dedi Rahmi.

"Ne demek istiyorsun?"

"O kadar masum durma dostum, neyi kastettiğimi biliyorsun. Biz isyan sırasında dağlarda ter dökerken Enver Olympos Oteli'nde gününü gün ediyor, üstelik kendisine paye çıkarıyordu."

"Bunu biliyorum, Rahmi. Gene de bir hürriyet havası esiyordu; hapishanelerin kapılarını açtırdı, siyasi tutuklular dışarı çıktı."

"Evet, onların yerine de Enver'e ve adamlarına karşı gelenler girdi. Bir de bu savaş. Bütün cephelerde harp halindeyiz. Bak, söylediklerime dikkat et Tahir, bu savaş bitince, tabii eğer bir gün biterse, Türk milleti diye bir şey kalmayacak. Osmanoğulları, o koskoca imparatorluk, tarih kitaplarında artık birkaç sayfa mı olur birkaç satır mı olur belli değil. Tarihin de kimin tarafından yazıldığına bağlı."

"Rahmi, bu akşam beni buraya savaşın sonuçları hakkında en kötümser tabloyu çizmek için çağırmadın, değil mi? Bana göre bir şey olduğunu söylemiştin."

"Ah, tabii, haklısın. Kendimi kaptırdım, kusura bakma. Bugünlerde insan duygularını kimseye açıkça ifade edemiyor. Sana güvendiğim için bu kadar konuşmuşum."

"Allah razı olsun ama sadede gel, söyle bakalım."

"Karadeniz'in uzak bir kasabasında tapu dairesinde bir memuriyet var. Gider misin?"

Tahir'in yüzü aydınlandı. Hemen cevap verdi:

"Evet, Rahmi, giderim, çok teşekkür ederim. Tabii giderim. Bana koskoca İstanbul dar gelmeye başladı. Anam babam ikisi de rahmetli oldu. Kimim kimsem akrabam da yok. Mektepten tek bir can dostum vardır, Ali Bedri; zaten ben Çanakkale'de yaralandığımda onun annesi beni buldu, o kadıncağız beni hayata geri getirdi. Ali Bedri dersen kendi havasında, onunla da iki laf edilmiyor. Nereye dersen hemen giderim." Sanki hemen gidecekmiş gibi birden ayağa fırladı.

"Tahir, dur, hemen gitmene gerek yok. Ne acayip adamsın. Merak etme, oraya gitmeyi isteyen başka talip yok. Otur, bir bira daha iç."

"İyi valla içeyim bari, Rahmi. Çok yaşayasın sen, bana ne büyük iyilik ettiğini tahmin edemezsin."

Tahir kısa sürede işlerini yoluna koydu ve yeni görevine hareket etti. En değerli varlığı olan kitaplarını yanına aldı ve yine bir bilinmeze doğru yelken açtı.

Mütareke

Başka çaresi olmayan Tahir, Harb-i Umumi bitene kadar bu gariban kıyı kasabasında iki yıldan fazla yaşadı. Günlerinin yeknesaklığı onu hiç rahatsız etmiyor, bilakis mutlu ediyordu. Her sabah tek katlı hükümet binasına gitmeden önce deniz kıyısında içine oksijeni doldurup sıkı bir yürüyüş yapıyor, gözlerini ufka daldırıp hiçbir şey düşünmeden adımlarının sesini dinliyordu. Karşıda Kırım vardı herhalde. Koskoca Çarlık da devrilip gitmiş, Deli Petro'ların Korkunç İvan'ların kemikleri sızladı mı bilinmez ama toprağın altında kalmışlar, geçmişin acımasız eskiliğinde kaybolup gitmişlerdi. Rusya'da ayaklar baş oldu deniliyordu. Ya bizdeki başlar ayaklar kadar bile akıllı olmazlarsa ona ne demek lazımdı? Haftanın bazı akşamları sahildeki balıkçılarla birlikte ufak ufak demlenip sohbet ediyor, memleket meselelerini konuşuyordu. Zaten küçük kasabada hiç kimse Tahir'e hürmette kusur etmiyordu. Kahveye girdiğinde bile herkes yerlerinden belli belirsiz doğrulup selam veriyorlar, masalarına davet ediyorlar, olan biten hakkında fikrini soruyorlardı.

Savaş tam sarpa sardığında Almanlarla birlikte Türkler de teslim oldular. Karadeniz bölgesi İngilizlerin kontrolüne geçti. Mütareke şartlarına göre Türkler silahlarını ve cephanelerini de onlara devredecekti. Askeri tecrübesi ve gözlemcilik yeteneği sayesinde Tahir bazı subayların buna uymadığını çok geçmeden fark etti. Bir şeylerin dipten kaynadığını anladı. Savaş sırasında bezgin durup ağızlarını bıçak açmayan subayların adeta yürüyüşlerine bir kıvraklık gelmişti. Yalnız kendilerinin bildiği bir espriye için için gülüyor gibiydiler. Dağılan ordunun subayları kısa süre içinde bir araya gelerek galip kuvvetlere karşı bir saldırı planlamaya başlamışlardı. Sultandan veya hükümetinden hiçbir destek söz konusu değildi. İstanbul'da yapılan gizli toplantıların sonuçları taşrada görülmeye başladı, genç subaylar planlarını uygulamaya geçirmek için taşraya geliyordu. Tahir hemen onlarla temasa geçti ve kendini gene tekdüze yaşamıyla tezat teşkil eden bir mücadelenin içinde buldu.

*　*　*

Puslu bir sabah, saat beş ila altı arasında (sonradan kimse tam saatini hatırlayamayacaktı) Aslı, Ali Bedri ve diğer ev halkı vapur düdüğüne benzeyen bir sesle uyandılar. Pencerelere, balkonlara koşunca galip kuvvetlerin gemilerinin Boğaz'a demirlediğini gördüler; gemiler gece sessizce Boğaz'a girmişti, şimdi de meydan okurcasına varlıklarını duyuruyorlardı.

"Geldiler, buradalar, Ali Bedri! Ne yapacağız?" diye haykırdı Aslı. Sonunda hiçbir şeyin eskisi gibi olmadığını anlamıştı. Görmezlikten gelmenin faydası yoktu. Önce Tahir, şimdi de bu: İradesi dışındaki güçler, bugüne kadar dokunulmazlığını koruduğu kendi dünyasını etkiliyordu artık.

"Anne, korkmayın. Neticede vatanı istila etmediler. Buraya sadece mütareke şartları çerçevesinde geldiler. Unutmayın, zaten biz teslim olduk. Yani bir nevi biz davet ettik onları."

"Ben bunları bilmem, sadece şu toplarını bize doğrultmuş gemileri görüyorum. Bu da benim iliklerime kadar korkmama yetiyor."

"Anne, telaşla herhangi bir adım atmamalıyız. Zaten bu savaşa katılmak hataydı. Hepsi İttihat ve Terakki'nin suçu. Büyük Türk İmparatorluğu bir hayal. İngilizlerle veya Fransızlarla karşılaştırınca biz kim oluyoruz ki? Sadece vahşi insanlar topluluğu."

"Ali Bedri, bunu nasıl söylersin? Burası bizim memleketimiz."

Güzide araya girdi: "Biz sahiden vahşi miyiz? Babaanne, biz yamyam değiliz ama değil mi?" Hepsi birden dönüp şaşkınlıkla Güzide'ye baktılar, onun da uyandığını fark etmemişlerdi.

"Ne yamyamı be kızım! Biz ne diyoruz sen ne diyorsun? Sen ayrıca yamyamları nereden biliyorsun?"

"Tahir Amca anlattı; o kadar çok şey biliyor ki! O kadar çok yere gitmiş ki! Çölde vahşi insanlar görmüş, ama belki onlar da yamyam değildi. Keşke erkek olsaydım! O zaman ben de Tahir Amca gibi gidip düşmanla dövüşürdüm."

"Tahir Amca, Tahir Amca! Gittiğinden beri başka bir şey duymadık. Anne, Tahir ona neler anlattı? Ve sen, Leyla, dünyadan haberin yok; sadece ruh gibi ortada dolanıyorsun. Kızının nelerle uğraştığını biliyor musun? Tabii bilmiyorsun, sen hayali fener gibi, ne bileyim, Kamelyalı Kadın gibi salın dur."

"Ama..."

"Aması filan yok. Ona etrafta büyükler varken susmayı bile öğretemedin."

"Ama Ali Bedri, o daha çocuk..."

"Uff, vazgeç be Leyla! Ne dediğimi anlamıyorsun bile" dedi Ali Bedri sabırsızlıkla, sonra Aslı'ya döndü: "Anne, bunu söylediğim için beni affedin, ama bazen bu ev dayanılmaz derecede boğucu oluyor." Bu sözler üzerine odasına yürüdü, kapıyı hızla vurdu. Hepsi arkasından bakakaldı. Ali Bedri deli doluydu ama hiç böyle saldırganlığını görmemişlerdi.

* * *

Kapısını kapatınca kendisini daha iyi hissetti. Tatyana'ya ihtiyacı vardı. Ne kadar rahatlatıcı bir kadındı! Aksanlı Fransızcası kulağına müzik gibi geliyordu. Zavallı Leyla, bunca yıldır Aslı'nın çatısı altında yaşamasına rağmen hâlâ Türkçe'yi doğru dürüst konuşamıyordu. Öğrenmeye mi niyeti yoktu yoksa düpedüz kabiliyetsiz miydi, bu bile anlaşılmıyordu. "Sokaktan aldığın karı bu kadar çıkar işte" dedi Ali Bedri kendi kendine. Nasıl bir gafletle Leyla'yı eve getirmişti, anneciğini nasıl bu kadar zor duruma düşürmüştü, nasıl da bile bile kendini kapana kıstırmıştı, bir de çocuk peydahlamıştı! Güzide de hiç iyi yetişmiyordu. Marazi bir şekilde Tahir'e tapıyordu çocuk. Babası çağırınca adeta lütfedip yanına geliyor, lafı bu sabahki gibi ne yapıp edip Tahir'e getiriyordu. Tatyana Leyla'dan ne kadar farklıydı; zekiydi, konuşkandı. Tiflis'ten geleli daha altı ay bile olmamasına rağmen Türkçeyi öğrenmeye başlamıştı.

Çarpıcı bir çekiciliği olan Tatyana, ailesini bırakıp dans hocası Madam Sonya'yla birlikte İstanbul'a gelmiş bir muhacirdi. Ailesini özlüyordu fakat burada da kolaylıkla dost edinmişti. Erkekler onun karşısında büyüleniyordu. O da onları vazgeçirmek için hiçbir çaba göstermiyordu. Koyu tenliydi, simsiyah saçları neredeyse beline iniyordu. Her zaman çıplak ayakla dans ederdi. Yüzü aslında güzel sayılmazdı, sivri burnu bazen ona katı bir ifade veriyordu. Ama sevişirken kalbini ve ruhunu ortaya koyardı.

Tatyana İstanbul'a geldikten az sonra, onunla bir kez sevişen erkeğin bir daha büyüsünden kurtulamadığı dedikodusu yayıldı. Bu da Ali Bedri'nin dayanamayacağı kadar baştan çıkartıcıydı ve tabii denemeye karar verdi. Bir akşam Hilmi'yi de alıp Tatyana'nın sahneye çıktığı kafe şantana gitti.

Gösteriden sonra onu masalarına davet ettiler. Hiç de kendini beğenmiş değildi. Hatta, Hilmi ve Ali Bedri onun güzelliğinden ve dansından övgüyle bahsedince çabucak konuyu değiştirdi. Onlara işleri, aileleri, hayatları hakkında sorular sordu. Ali Bedri'ye garip geldi, Tatyana bir erkekle konuşur gibi konuştuğu ilk kadındı. Gene de ona sahip olma fikri aklından çıkmıyordu tabii. Tatyana onun şakalarına gülüyordu, ama sadece gerçekten gülünç bulduklarına; yoksa hoşa gitmek için bir çaba sarf etmiyordu.

Sonraki haftalarda Ali Bedri her gece Tatyana'nın çalıştığı gece kulübüne gitti. İşi bitince kulübün yakınında kiraladığı odasına kadar ona refakat etmeyi alışkanlık edindi. Ali Bedri ilk hareketin kadından gelmesini bekliyordu bu sefer. Tatyana'nın karnının sırf gece yaptığı bir iki danstan doymadığını pek tabii o da biliyordu. Ama onun karşısında herhangi bir zampara rolünü oynamaktan da kaçınıyordu. Neredeyse ülkesinden uzak bir prensese, bir kontese davranır gibi davranıyordu genç kadına. Kapıları tutuyor, şemsiyesini açıp kolunu uzatıyor, önündeki su birikintisini işaret edip ayaklarını ıslanmaktan koruyordu. Kendi evine dönerken de o akşam konuştuklarını düşünüp duruyordu.

Mütareke'nin ilanından hemen sonra, bir akşam, Tatyana kapının eşiğinde durakladı, derken kapıyı sonuna kadar itti. Ali Bedri koşarcasına içeri girdi ve Tatyana'ya sarıldı. İhtirasla öpüşürken aynı zamanda giysilerini de çıkarmaya çalışıyordu. Vücudu Tatyana'nın ipek gibi tenine temas edince kontrolünü kaybettiğini dehşetle fark etti. Ali Bedri'nin bedeni ona ihanet etmişti. Tatyana'nın heykel gibi durduğunu gördü. Utanç duydu; eteğiyle onu beceriksizce silmeye çalıştı. Gözlerinin içine bakamıyordu. Şehrin en şöhretli erkeği bir okul çocuğu gibi davranmıştı. Tabancası olsa intihar edebilirdi. Derken ateş gibi yanan yanağında Tatyana'nın serin elini hissetti. Tatyana onun başını tuttu.

"Senin de beni sevdiğini anlayamamıştım. Sadece listene eklemek istediğin bir kadın olduğumu düşünmüştüm."

"Tatyana" diye içini çekti Ali Bedri, "Ahh, Tatyana! Sonunda beklediğime kavuştum galiba."

* * *

Ali Bedri hayatının aşkını bulduğu sıralarda Tahir de kendisi için anlam taşıyan bir göreve atılmıştı. Gece gündüz at sırtında dağları arşınlıyordu. Bunu için bir bahane de uydurmuştu: Tapu kadastrocuydu ya, dağların haritasını çıkaracaktı. Köylerdeki ihtiyar heyetleriyle görüşüyor, üyesi olduğu isyancı örgütle aynı fikirde olan her yaştan insan topluyordu. Kimseye güvenmediği için bu gezilere tek başına çıkıyordu. İnsanlarla kolayca kaynaşması ve inanılmaz hafızası sayesinde böyle nazik bir görev için biçilmiş kaftandı. Arkadaşları kendisini seviyor ve sayıyordu, onu ele vereceklerine ölmeyi tercih ederlerdi. Yaşlı kısrağa bindiği anda başka bir insan oluyor, kumandayı ele alıyordu.

Tek başına çıktığı bu yolculuklarda sık sık Ali Bedri'yi düşünürdü. Arkadaşı herhalde buralarda hayatta kalamazdı. Onu İstanbul'dan, güzel kızlardan, şık lokantalardan uzakta düşünemiyordu, ayrıca her ihtiyaç duyduğunda yanında olan Aslı Hanım'dan da. Fakat Tahir Ali Bedri'den çok farklıydı. Aslında ona benzemeye de hiç çalışmamıştı. Sıcak bir kadın teni, bacağına değen bir başka bacak, parmaklarına dolanacak uzun saçlar yerine soyut fikirlerle yatağını paylaşmayı tercih ediyordu. Etrafında ne kadına ne de erkeğe ihtiyacı vardı.

Bütün gücüyle milliyetçilerin davasına katılmıştı artık. İstanbul'la iletişim çok zordu, ona rağmen düzenli olarak eski dostu ve amiri İhsan'a şifreli mesajlar gönderiyordu. Savaş sırasında neredeyse bütün cephelerde çarpışan İhsan binbaşılığa terfi etmişti. Şimdi de milliyetçilerle aynı safa geçmişti; Mısır Çarşısı'ndaki küçük bir dükkândan teşkilatın büyük bir bölümünü yönetiyordu. İhsan hiç yorulmadan, hiç mi hiç bezmeden bir cepheden bir cepheye koşuşturduğu gibi bunda da elebaşılık ediyordu. Kolay bir şey değildi, yaptıkları ortaya çıktığı takdirde aslında çoğu konuda hemfikir olmayan işgal kuvvetlerinin birleşip köklerini kazıyacakları aşikârdı. Amiyane tabirle kelle koltukta "biz neleri gördük geçirdik" deyip kendilerini bu davaya adamışlardı.

* * *

Tahir'den ve milliyetçi dostlarından binlerce kilometre ötede başka bir gizli plan yürürlüğe konuluyordu: Leyla son aşağılanmasından sonra evden gitmeye karar vermişti. Artık ne kocasını, ne de kızını gözü görüyordu. Güzide'nin doğumundan sonra iki yıl boyunca Aslı Leyla'yı uyandırıp sevgili torununa meme vermesini emretmişti. Güzide hem normal yemek yiyordu hem de meme emiyordu. Fare gibi dişlerini Leyla'nın artık sütü bitmiş memelerine geçirip sakız gibi çiğniyordu. Aslı, "zarar yok, ver ki sütün gelsin, çocuğun kemikleri kuvvetlenir" diye tepesinde duruyordu. Aslı bir kez dahi Güzide'den Leyla'nın kızı olarak bahsetmemişti, o her zaman Aslı'nın torunuydu. Güzide muhtemelen uzun bir süre gerçek annesinin Aslı olduğunu zannetmişti, o derece hâkimiyeti ele almıştı. Leyla'nın zaten muteber olmayan konumu gittikçe kötüleyip, sütanne durumuna düşmüştü. Güzide büyüyünce de anne rolünü Aslı üstlendi, Leyla sessiz bir seyirci gibi kaldı. Ali Bedri ise artık onunla konuşmaya teşebbüs dahi etmiyordu.

Sonunda Leyla için büyük gün geldi. Havalar biraz ısınmıştı, bahçeye çıkma zamanıydı. Sandık odasından hasırlar çıkarıldı, temizlendi, kalın bir halı getirildi. Aslı bahçede en uygun köşeyi aradı. Güneşin altında olmayacak, aynı zamanda tamamen gölgede de kalmayacaktı. Sonunda karar verdi: Güzide, ıhlamur ağacının küçük yapraklarının kıpırtılı gölgesinde oynayabilirdi, çiçeklerinin kokusu da ona yarardı. Toprağın en kuru yeri bulunup hasırlar serildi, üstüne halı kondu, onun üstüne de, küçük kız büyükannesinin kucağındaki kadar rahat etsin diye, bir dolu battaniye ve çarşaf yığıldı. Bebek oynamaktan sıkılırsa haşa elini sürmeden Aslı veya Cennet'in reçellik gül toplamalarını seyredebilirdi; Aslı gül dikenlerinin nazik tenine batmasından korkuyor, onun güllere dokunmasına izin vermiyordu.

Leyla için bundan iyi bir zaman olamazdı. Cümle kapısından çıktığını görmelerine veya onu duymalarına imkân yoktu, kendi işlerine dalmışlardı. Zaten bir çift olan pabuçlarını aceleyle giydi. Uzun zamandır dışarı çıkmadığı için, daha giyerken ayakkabılar ayaklarını sıktı. Aylardır evin içinde kayınvalidesinin eski ipek terlikleriyle dolaşıyordu. Bu eve ilk geldiği gün sırtında olan eski ceketini aradı, bulamadı. Çaresiz, sabah giydiği ev kılığıyla sokağa çıktı; üzerinde ne manto, ne de çarşaf vardı.

Daha ilk adımlarını atarken, sokaktaki başka kadınlara bakınca ne kadar tuhaf giyimli olduğunu idrak etti ama geri dönmesi imkânsızdı. Uygun bir kıyafet aramaya kalksa, bütün planı bozulurdu. Belki daha Avrupai olan Pera tarafında kılığı o derece yadırganmazdı, ama Beyazıt'ta, bu Müslüman mahallesinde, çocuklar dahi geri dönüp ona bakıyordu. Dar sokakların iki yanındaki küçük evler, kalın kapıları ve kafesli pencereleriyle sanki kıskanç birer koca gibi sırlarını gizliyorlardı. Bu evlerin içindeki hayatı düşününce yalnızlık ve çaresizlikten ürperdi.

Konaktan biraz daha uzaklaşınca ciğerlerine temiz hava doldu; yüzünde ve eldivensiz ellerinde tatlı bir esinti hissedince canlandı. Evlendiğinden beri açık havayı ilk defa teninde duyuyordu çünkü Aslı'yla birlikte sokağa çıktığı ender zamanlarda kocaman bir feraceye bürünüyor, kalın bir peçe ve eldiven takıyordu. Aslı her zaman birkaç adım önden yürüdüğü için Leyla bazen peçesini aralayıp, bir perde arkasından bakmak yerine etrafını seçmeye çalışırdı. Derhal kayınvalidesi arkaya dönüp peçesini doğru dürüst takmasını işaret ederdi. Leyla nasıl olup da bunu hemen fark ettiğini anlayamıyordu, halbuki Aslı her şeyi gözlemlediği için, gelen geçen insanların Leyla'ya bakışından ne olduğunu tahmin edebiliyordu.

Bir süre amaçsızca sokakları dolaştı. Önceki çıkışlarında nereye gittiğine dikkat etmediği için pişmandı. Bir cami avlusunda güneşin altında çömelmiş duran adamlar gördü, adeta kendilerini uyandıracak bir şeyi bekliyorlardı.

Leyla sokaktaki insanlara yönünü sormaya tereddüt ediyordu. Sanki evden kaçtığını anlayacaklar ve geri götürecekler gibi geliyordu. Bir tek şeyi biliyordu: Beyoğlu tarafına gitmek için köprüyü geçmesi gerekliydi. Herhalde birçok insan köprüye nasıl gidileceğini soruyordur diye düşündü, sonunda bir seyyar satıcıya sordu. Aslı'yla birlikte arabayla gittiklerinden başka bir yoldu. Yaya yolunun iki tarafında yanmış binaların kalıntıları arasında küçük çocuklar saklambaç oynuyor, arada biri ona sesleniyordu. Köpekler de havladı, neyse ki yakınına gelmediler. Yıkık dökük duvarların etrafında tencereler, tavalar, çamaşırlar görünce buralarda yaşayanlar olduğunu anladı. Bütün yöre bir labirent gibiydi, ne kadar yürüse aynı yerden geçiyormuş, aynı yarıaç çocukları görüyormuş gibi geldi. Nihayet durdu, alçak bir duvarın üstüne oturup bir nefes aldı.

"Kayboldun, değil mi?" diye seslendi birisi. Koyu tenli genç bir çocuktu, ancak on beş yaşlarında görünüyordu.

"Evet, evet" diye devam etti, bilmiş bir edayla. "Buraları iyi tanımazsan günlerce dolanıp durur, bir türlü çıkış yolunu bulamazsın. Ama ben iyi bilirim; her çukurunu, her fare deliğini bilirim. Geçimimi böyle sağlıyorum."

"Lütfen söyle" diye yalvardı Leyla. "Köprüye nasıl gidebilirim?"

"Çok kolay. Niye baştan söylemedin? Nereden geliyorsun? Merak etme, ben sana gösteririm."

Leyla'nın önünden yürüdü, dik bir yokuştan indiler. Sonunda Yeni Cami'nin önündeki büyük meydanı gördü; kalabalığın arasına güvercinler de karışmıştı. Köprü de oradaydı, insanlar karınca sürüsü gibi her yönde gidip geliyordu. Onun da ötesinde kurtuluşuna kavuşacağı Beyoğlu tepeleri uzanıyordu.

Konakta kendi etrafına ördüğü ya da zorla itildiği duvarın arkasında geçirdiği sessiz hayattan sonra, meydanın gürültüsü ve karmaşasına dayanmak zordu. Başı döner gibi oldu, kulakları uğuldamaya başladı. Son zamanlarda neredeyse günlerini mutlak bir sessizlik içerisinde geçirmişti. Ali Bedri haftalardır onunla konuşmamıştı. Ne zaman bakışlarını yakalamaya çalışsa, başka tarafa bakmıştı. Gözlerindeki ifade nefretten çok ilgisizlik ve acımaydı. Aslı'ya gelince; Leyla ona hitap etmeye asla teşebbüs dahi etmemişti, Aslı da başından beri Leyla'yla konuşmaya tenezzül etmemişti. Güzide de ona yabancı gibiydi. Leyla ne annesinin tadını çıkarabilmişti ne de anneliğin. Ölen annesinin yerine teyzesini koymuştu. Şüphesiz Güzide de evde varlığı ile yokluğu fark edilmeyen gerçek annesi yerine hâlâ gençliğini koruyan, her şeyi bilen, onu her şeyden korumaya muktedir babaannesi Aslı'yı getirmişti minicik kalbinde. Leyla kime "benim" dese elinden alınıyordu ya da o elinde tutamıyordu: Avram, Ali Bedri... Hele hele kendi canından kanından olma, dünyaya getirirken hiç içinden çıkmasını istemediği kızı... Sanki Güzide doğmadan olacakları biliyor gibiydi Leyla. Doğumun yaklaşmasını hiç istemiyordu. Acıdan korktuğundan değil, karnındaki bebekten ayrılmak istemiyordu. İlk defa tamamen kendine ait bir varlığa sahipti, ondan da kolay kolay vazgeçmek istemiyordu. Belki onun için doğum sancıları neredeyse iki gün sürmüştü. Ebe kadın habire "serbest bırak kendini, kasma, kimsenin içinde kalmamış, senin de kalmaz" diye söylenip duruyordu. Aslı sanki Leyla çocuğu alıp kaçacak gibi bir an bile odayı terk etmemişti. Sonunda olan oldu, çocuğunu bile doya doya sevemedi.

Meydan Leyla'ya çok boğucu geldi; güvercinlerden mi, insanlardan mı bunaldığını kestiremedi. Ortalık satıcılar, tacirler, yabancı askerlerle doluydu, kuşlar da sanki gözünün içine dalacakmış gibi üstüne doğru uçuyorlardı. İtiş kakışın içinde kalabalığın akışıyla kendisini köprünün dibinde buldu.

Genç bir İngiliz askerinin denetiminde bir Türk zabıta memuru köprü geçiş paralarını topluyordu. Para! Bunu hiç düşünmemişti. Evden telaşla ayrılırken paraya ihtiyacı olabileceği hiç aklına gelmemişti. Aslında eczanede çalıştığı günlerden beri elini paraya sürmemişti, her şeyi Aslı hallederdi. Ne yapacağını bilemeden birkaç adım geri gitti ve kımıldamadan durdu.

Orada ne kadar kaldığını kestiremiyordu. Bir müddet sonra kaldırımlarda haki renkli üniformaların çoğunlukta olduğunu fark etti. Bu genç adamlar farklı bir dil konuşuyordu. Türkçe dışında bir lisan duymayalı o kadar uzun zaman geçmişti ki! Ne dediklerini anlamadan onların konuşmalarını dinledi.

Birden ortalık karıştı, onu da kenara ittiler. Herkes aynı anda bağrışıyordu. Nereye gittiğini bilmeden, o da diğer insanlarla birlikte koşmaya başladı.

"Tutuklayın!" diye birisi bağırdı. Askerler ve polisler yıldırım gibi kalabalığı kuşattılar. Şimdi bir sürü dilde bağrışmalar duyuluyordu.

"Sen bu adamların arasında ne yapıyorsun? Kadın, utanmıyor musun?" Onun cevap vermesine fırsat bırakmadan bir başkası seslendi:

"Onu da götürün! Orospu böyle adamlara karışmamayı öğrensin!"

Leyla ne olup bittiğini hiç anlamamıştı. Polis ve askerler on beş kadar adamı yakaladı. Aralarındaki tek kadın Leyla'ydı. Onları kocaman bir binaya yürüttüler. Kapılarda yabancı askerler nöbet tutuyordu. Herkes Leyla'ya meraklı gözlerle baktı.

Büyük bir odada hepsi duvar boyunca sıralanınca yaşlı bir Türk polisi Leyla'ya yaklaştı.

"Adın ne?"

Leyla cevap vermedi. Kendisine soru sorulduğundan bile emin değildi.

"Adını sordum" diye tekrarladı polis.

Leyla gene ses çıkarmadı.

"Yoksa adını bilmiyor musun? Bu ne şaklabanlık? Bu adamlarla ne işin var?"

Leyla'yla birlikte getirilenlerden biri "O bizden değil" diye araya girdi.

"Sormadan konuşma!"

"Ama bizimle hiç ilgisi yok. Anlaşılan sizin aklıevvel zabıta memurları bizim grevci grubuyla birlikte olduğunu düşünmüşler."

"Sana sus dedim!"

Birden polisin sesi kesildi: Kapıda genç bir subay belirmişti.

Şiveli fakat düzgün bir Türkçe'yle "Neler oluyor, Ahmed?" diye sordu.

"Yüzbaşı Rawlings, efendim, bu insanlar Tramvay Şirketi aleyhine grev ve gösteri yapmaktan tutuklandılar, bu kendini bilmez adam da benim sorgulamama karışıp..."

"Kadın da kimin nesi?"

"İşte ben de tam bunu keşfetmeye çalışıyordum, efendim."

"Devam et, Ahmed, kadını da odama gönder. Onunla ben ilgilenirim."

Leyla'yı diğerlerinden ayırdılar ve Rawlings'in odasına götürdüler. Yüzbaşı masasının arkasındaki koltuğa oturmuştu.

"Yakına getirin."

"Şimdi" dedi Rawlings, "bütün hikâyeyi dinleyelim. Baştan başlayalım."

Leyla gözlerini yerdeki halıya dikti. Birden halının motifleri birbirine karışmaya başladı. Kendine geldiği zaman yerde yatıyordu.

Gözlerini kırpıştırınca odasına getirildiği genç subayı seçebildi. Adam ona merak ve acımayla karışık bir ifadeyle bakıyordu.

"Hâlâ çok solgunsunuz, kendinizi iyi hissediyor musunuz?"

Leyla "Ben mi?" der gibilerden eliyle kendisini işaret etti.

"Evet, bayılan sizsiniz. İyi misiniz?"

Nihayet sesini çıkarabildi: "Evet, teşekkür ederim."

"Ayağa kalkabilir misiniz?"

Leyla bir şey söylemeden doğruldu, ayağa kalkmak istedi ama gene başı döndü.

"Tramvay Şirketi'nde mi çalışıyorsunuz?"

Leyla ona öyle boş baktı ki, Rawlings sorusunu başka türlü ifade etme gereğini duydu.

"Neden Tramvay Şirketi'ne karşı gösteriye karıştınız?"

"Ben neler olup bittiğini bilmiyorum" dedi Leyla, titrek bir sesle.

Bu sırada kapıya vuruldu, bir başka asker içeri girdi, selam verdi.

"Efendim, kadınla ilgili" diye söze başladı.

"Evet, devam et."

"Yüzbaşım, grevcilerin kadınla ilgisi yokmuş. O sadece oradan geçiyormuş."

"Teşekkür ederim, Riley. Gidebilirsiniz."

Leyla'ya döndü: "Pekiyi, bu adamlarla bir ilişkiniz olmadığını anladık. Ama orada ne yapıyordunuz?"

"Köprüyü geçemedim."

"Neden?"

"Para gerektiğini bilemedim" dedi Leyla, büyük bir doğallıkla.

"Yaa, demek çantanızı almayı unuttunuz."

Leyla cevap vermedi.

Rawlings'in aklını karıştıran bir şeyler vardı. Ne olduğunu kestiremiyordu. Onun hakkında daha fazla bilgi almak istedi.

"Adınız nedir?"

"Rebeka" dedi Leyla, düşünmeden.

"Giyiminize bakınca Türk olmadığınızı anlamıştım. Size herhangi bir şekilde yardımcı olabilir miyim?"

Rebeka genç adamın gözlerinin içine baktı. Yirmi yaşından fazla göstermiyordu. Herhalde sarışın olduğu içindi. Yoksa bu kadar önemli bir göreve nasıl gelirdi?

"Size söylüyorum, yardımcı olabilir miyim?"

"Teşekkür ederim."

"Nereye gideceğinizi biliyor musunuz?"

"Teşekkür ederim."

Leyla cevap veremiyor, sadece ellerine bakıyordu. Çok uzun zamandır ilk defa bir erkek onun nasıl olduğuyla ilgilenmişti.

"Şok geçirmiş gibi duruyorsunuz. Çay içer misiniz?"

Leyla gene bir şey söyleyemedi ama genç subaya müteşekkir gözlerle baktı.

Rawlings seslendi: "Riley, hanımefendiye çay getir."

"Evli misiniz?"

Leyla ona şaşırarak baktı. Rawlings'in onu konağa geri göndermesinden korkmuştu.

"Evliydim."

"Ne oldu?"

"Öldü."

"Üzüldüm. Şimdi, kendinizi daha iyi hissediyorsanız, sizi evinize götüreyim. Ben de çıkıyorum zaten."

Ne diyeceğini bilemeyen Leyla onun peşinden gitti. Leyla'yı arabasına aldı. Şoför hemen motoru çalıştırdı.

"Affedersiniz, nezaket kurallarını unutmuşum. Kendimi tanıtmadım. Ben Yüzbaşı Rawlings, İngiliz ordusundan."

Leyla tebessüm etti.

"Şimdi söyleyin bakalım, sizi nereye götürüyoruz?"

Nereye gideceğini bilmiyordu. Evden çıkarken sadece oradan uzaklaşmayı düşünmüştü. Bir hedefi yoktu.

"Bize yolu tarif edebilir misiniz?"

Birden bütün cesaretini topladı: "Gidecek bir yerim yok."

"Yani adresi mi bilmiyorsunuz, yoksa sahiden gidebileceğiniz bir yer mi yok?"

Leyla güçlükle "Benim kimsem yok" diyebildi.

Rawlings bir an düşündü, derken aklına bir fikir geldi.

"Yemek yapmayı bilir misiniz?"

"Bilirim tabii."

"Rebeka, sana isminle hitap edeceğim, sence de uygunsa, yaşayacak uygun bir yer bulana kadar istersen benim evimde kalabilirsin, yemekleri pişirirsin. Hizmetçimin yaptığı yemekler berbat, zaten ne istediğimi de zor anlıyor. Bak, sahiden bu iyi fikir. Kendini biraz toparlarsın, sonra da bana başından geçenleri anlatırsın."

Başka söz söylemeden Rawlings'in dairesine doğru yola devam ettiler. Merdivenleri çıkarken Rebeka yıllar önce bir başka adamı takip ettiğinde hayatının ne kadar değiştiğini hatırladı.

Leyla, Rawlings'e hayat hikâyesini hiçbir zaman anlatmadı. Zaten zamanla Rawlings için de bunun önemi kalmadı, ısrar etmekten vazgeçti. Eve ne zaman gelse her şeyi son derece düzenli buluyordu. Sofra kurulmuş, Leyla'nın leziz yemekleri hazırlanmış oluyordu. Gömlekleri özenle kolalanıyor ve ütüleniyordu. Bu kadının sessiz haliyle Rawlings'e gösterdiği ihtimam onu rahatlatıyordu. Rebeka'ya bugüne kadar ne kocasının ihtiyacı olmuştu, ne kızının. Kocasının sabah kahvaltısını hazırlamak görevi dahi ona çok görülmüştü. Ama burada öyle mi, ilk defa evin hanımı gibi davranmasına izin veriliyordu. Rawlings'in emir eri nereden buluyorsa etin en güzelini, sebzenin en tazesini getiriyordu. Rebeka'ya bunları pişirmek, genç İngilizin tek kişilik sofrasını elinden geldiği kadar özenle hazırlamak düşüyordu. Ara sıra Rebeka'nın önüne koyduğu sütlü çayı yudumlarken Riley de Rebeka'yla sohbet etmeye çalışıyor ama birbirlerini pek anlamadıkları için sadece karşılıklı gülüşüyorlardı. Rebeka ilk defa neşelenmeye başladığını hayretle hissediyordu. Ne dünü ne de yarını düşünüyordu. Varlığını ispat edebilmek için tek amacı Rawlings'e hizmet etmek, onu mutlu etmekti. Ama aslında Rawlings son derece mutsuzdu.

Oldukça çekingen bir tabiata sahip olduğu için diğer yabancı subaylar gibi etrafıyla öyle pek sıkı fıkı olamamıştı. Bir an evvel görev süresi bitip Coventry'deki babadan kalma çiftliğe çekilmek istiyordu. Ama tek başına değil. O çılgın Rus'u gördüğü günden beri aklından çıkartamıyordu. Daha önce beraber olduğu kalın bilekli, soluk benizli, soğuk İngiliz kadınlarıyla hiç mi hiç ilgisi yoktu bu kadının. Sanki dans ederken yerlere vurduğu topuklarından, vücuduna doladığı şaldan bile ateş fışkırıyordu. Beraberindekiler onu masaya her çağırdıklarında dersini iyi çalışmamış bir çocuk gibi ne söyleyeceğini şaşırıyor, dikkatini çekmek için hiçbir şey yapamıyordu. Bir tek kendisine baksın diye deli oluyor, memleketine döndüğünde şöminenin üzerini süsleyen binicilik kupaları gibi onu da teşhir etmek, Amazonlar gibi atının üstüne bindirip arazilerini birlikte dolaşmak istiyordu. Ne orduda ne de sivil hayatta kimsenin pek dikkatini çekmeyen sıkıcı Rawlings, böyle bir kadına sahip olmak ve gücünü-iktidarını ispat etmek için yanıp tutuşuyordu. Bir taraftan da kadının alaycı bakışlarını yok etmek için dayanılmaz bir istek duyuyordu; için için kızıyor, belki de nefret ediyordu. Gitgide bir saplantı halinde, uyanık anlarında onu hayal etmeye, rüyalarında ise ona sahip olmaya başlamıştı. Ama içinde kopan bütün fırtınaları dışarıya karşı gizlemek için büyük çaba sarf ediyordu. Onu yakından tanımayanlar, ölçülü tavırlarından bir ipucu çıkaramazdı.

* * *

"Babaanne, Dadı, bakın kim geldi!"

"Güzide, sana kapıyı tek başına açma demedim mi? Kimmiş o?" diye Aslı çıkıştı.

"Tahir Amca geldi. Siz kapıyı duymadınız ki! Evde kimse yok zannedip gidebilirdi."

"Gitmezdi."

"Ama, ben belki de annemdir diye düşündüm..."

"Baban sana ne dedi? Artık bu evde onun sözünün edilmesini istemiyorum demedi mi? İsteseydi bizi bırakıp gider miydi? Hem de kimseye bir şey söylemeden. Bak hepimiz senin için deli divane oluyoruz. Bırak artık her kapı çalışında fırlamayı, maazallah başımıza bir şey getireceksin." Birden yanı başında biten Tahir'i görüp hemen kendine çekidüzen verdi ve "Affedersin, Tahir. İçeri gir oğlum. Seni buraya hangi rüzgâr attı?" dedi.

Tahir hemen konuşamadı, Aslı'nın söylediklerinin ne anlama geldiğini keşfetmeye çalıştı. Küçük kızın gözlerinde o kadar mutsuz bir ifade vardı ki! Aslı'nın yüzüne bakmadan cevap verdi:

"Bir iş için geldim, Aslı Teyze. Tabii küçük arkadaşım Güzide'yi de özledim. Nasılsın bakalım?"

Güzide hemen sevinçle ona döndü: "Tahir Amca, bana anlatacak yeni hikâyelerin var mı? Gene vahşilerle karşılaştın mı yoksa?"

"Hayır, Güzideciğim, benim olduğum yerde vahşiler yok. Onlar aslında burada, bizim burnumuzun dibindeler, ama her zaman fark edemiyoruz. Ve onlar..."

"Kimmiş onlar acaba?"

Merdivenlerden Ali Bedri'nin sesini duyan Tahir'in gözleri parladı. Birbirlerine sarıldılar. Bir süre öyle kaldılar.

"Ali Bedri, evde olacağını düşünmedim. Son görüşmemizden beri çok zaman geçti. Nasılsın?"

"Asıl senin anlatman lazım. Biz hep buradayız, tekkeyi bekliyoruz senin anlayacağın. Dünyayı dolaşan sen olduğuna göre haberler sende."

"Sahiden, Ali Bedri, İstanbul'da neler oluyor? Buraya gelirken yolda bir sürü üniformalı genç adam gördüm, bizden değiller tabii. Bir an sanki yanlışlıkla düşman hattının gerisine düşmüşüm gibi geldi. Sokaklar aynı sokak, fakat nedense aşinalığını kaybetmiş."

"Haydi canım, Tahir, son nefesine kadar şair ruhlu kalacaksın."

"Dur bakalım, henüz son nefesimi vermeye niyetim yok. Daha yapmak istediğim çok şey var."

"Bak buna sevindim. Ama abartmayalım, tamam mı? Gerçi sayılarının arttığı doğru. Fakat bu adamların aleyhinde olmamızı gerektirecek pek bir olay olmadı. Bir zararları yok. Biz teslim olduk, onlar da bu şartlar altında vazifelerini yerine getiriyorlar. Yani endişelenmen için sebep yok."

Tahir yine gereksiz bir tartışmaya gireceklerini anladı. Ali Bedri yabancı hayranlığını ölse bırakmayacaktı anlaşılan. Memleket işgal edilmiş, vatan elden gitmiş; ya gerçekten anlamıyor ya da "bana dokunmayan yılan bin yaşasın" deyip umursamıyordu. Aynı konuyu temcit pilavı gibi konuşmanın galiba hiç faydası olmayacaktı.

"Kusura bakma, Ali Bedri, oldukça yorgunum. Zor bir yolculuk yaptım" dedi. "Gemilerde yer bulmanın ne kadar güç olduğunu bilseydin halimden anlardın. Neredeyse taka gibi küçücük bir vapurda yer bulana kadar on beş gün bekledim İstanbul' a gelmek için. Daracık bir kamarayı iki kişiyle paylaşmak zorunda kaldım. Hadi buna katlandım diyelim ama limandan ayrılır ayrılmaz gemi inanılmaz şekilde sallanmaya başladı. Hepimizi deniz tuttu. Adamlardan genç olanın sağ kalmayacağını sandım. Bir yudum çay veya su içirmeye çalışsam hepsini geri çıkarıyordu. Bir mucize eseri tam Boğaz'a girerken gözlerini açtı." Tahir yine dayanamadı ve ekledi, "Onları gördüm. Bütün düşman gemileri burada, hepsi de toplarını bize doğrultmuşlar".

O ana kadar sessiz duran Aslı kendini tutamadı:

"Bunu görmek için uzun bir deniz seferine çıkmaya gerek yok ki oğlum. Yukarıya çık, evet Tahir, yukarı çık, hepsini buradan izleyebilirsin."

"Sahi, Tahir, yukarı gel ve bak. O kadar çok var ki! Tam sayılarını bilmek istersen, yirmi iki İngiliz, on yedi İtalyan, on iki Fransız ve dört Yunan gemisi. Verdiğim sayılardan etkilenmedin mi?"

"Tahir Amca, onlarla savaşacaksın, değil mi?"

"Tamam artık, Güzide. Büyüklerin konuşurken susman gerektiğini sana söylemedim mi? Anne, bence siz o olaydan beri Güzide'yi şımartıyorsunuz."

Aslı ortalığı yumuşatmaya çalışarak "Bunu sonra konuşuruz. Güzide, evladım, galiba Cennet seni çağırıyor" dedi ve yerinden kalktı. Güzide babaannesi ve babasının yüzüne hiç bakmadan Tahir'e doğru bir adım atacak gibi oldu, onun da gözlerinin yere dikili olduğunu görünce çaresiz dışarı çıktı.

"Bu şartlar altında hayatı nasıl sürdürüyorsunuz?" diye sordu Tahir.

Onun evdeki durumdan bahsettiğini zanneden Ali Bedri cevap verdi:

"Zavallı, cahil karım evi terk etti. Biliyorsun, hiçbir zaman kuvvetli bir kadın olmamıştı. Düşünebiliyor musun, beni, benim gibi bir adamı terk etti!"

"Hayır, hayır, galiba yanlış ifade ettim. Asla özel hayatına girmeyi düşünmedim. Ama mademki anlattın, inan çok üzüldüm."

"Üzülecek bir şey yok ki. Ben onu kapıya koyamıyordum, neyse ki kendi iradesiyle çıkıp gitti."

"Pekiyi, Güzide ne olacak? Annesini özlemiyor mu?"

"Neden özlesin ki? Leyla başından beri ona doğru dürüst annelik yapamadı. Ne öğrendiyse ona annem öğretti."

Ne diyeceğini bilemeyen Tahir, Aslı'nın o sırada odaya girmesi sayesinde cevap vermekten kurtuldu. Bu konuyu konuşmamanın daha iyi olacağını anladı.

"Acıkmadınız mı?"

"Aslı Teyze, bir defa daha misafirperverliğinizi istismar ediyorum, hem de bu zor zamanlarda."

"Hiç de değil, Tahir. Göreceğin gibi, yemek alışkanlıklarımız çok değişti. Ne tuhaf, insan bakla ve arpa ekmeğinden de tat alabiliyormuş. Cennet de bunu çok güzel pişiriyor. Ama doğrusu keçi etine bir türlü alışamadım."

Tahir nezaketle gülümsedi ve Aslı ile Ali Bedri'nin arkasından sofraya geçti. Yemekten sonra bahçede dolaşmaya çıktılar. Birden durdu ve Ali Bedri'ye döndü:

"Neler oluyor? Bahçeyi hiç bu kadar bakımsız görmedim."

"Bizim ihtiyar Arnavut'u hatırlar mısın? Hani ne kadar inatçıydı? Birkaç yıl önce öldü. Onun yerine oğlu işlere bakıyordu. Derken bir gün Doğu Cephesi'ne gideceğini söyledi, bir daha da haber alamadık."

"Anlıyorum. İstanbul'un bu haliyle nasıl başa çıkıyorsunuz?"

"Herkes ne yapıyorsa biz de öyle yapıyoruz işte."

Aslında Ali Bedri, İstanbul'daki diğerlerine göre çok daha iyi durumdaydı. Evde ufak tefek bazı ayrıntılar dışında onun için pek bir şey değişmemişti, neredeyse eskisi kadar rahatı yerindeydi. Hatta bazı arkadaşlarının yeni edindikleri servet sayesinde, galip ordular gelmeden önceki duruma kıyasla daha bile iyi olduğu söylenebilirdi. Onların gösterişli üniformaları, Fransız kumandanın Fatih Sultan Mehmet gibi kırad üzerinde şehre girişi, Ali Bedri'ye sanki bir tiyatro seyreder gibi heyecan vermişti. Bazı subaylarla da şahsen tanışmıştı. Eski arkadaşı Hilmi'yle olan yakınlığından dolayı, birçok Türk'ün hayatlarının en kötü dönemini geçirdiği bu günlerde Ali Bedri kendini bambaşka bir dünyada bulmuştu.

Hilmi'nin bankacı olan eniştesi Fuad, İttifak kuvvetlerine bir tür ticari danışmanlık görevine atanmayı becermişti. 1918 yılının acımasız ve soğuk kış günlerinde; kömür bulunamaz, tramvay çalışmaz, iki yaka arasındaki küçük vapurlar düzenli sefer yapamaz, anacaddeler bile doğru dürüst aydınlatılamazken, Fuad'ın evi neredeyse her gece misafirlerle dolup taşıyordu. Fuad'ın evi aynı zamanda Hilmi'nin de evi demekti: Babası öldükten sonra annesiyle birlikte kız kardeşinin yanına taşınmışlardı. Yeni zenginlerin rağbet ettiği semtte, beş katlı modern bir apartmanda oturuyorlardı. Özellikle de cuma akşamları verdikleri davetler dilden dile dolaşıyor, herkes davet edilmeyi hevesle bekliyordu. Ali Bedri hiçbirini kaçırmazdı. Fuad iş yaptığı Müttefik subaylarından birinden bir de otomobil almıştı. Ali Bedri onun nasıl bu kadar sürede böyle zengin olduğuna şaşıyordu. Hilmi de eniştesinin iş hayatının içyüzünü bilmezdi, ama laf arasında Müttefiklerin el koyabileceği bazı gayrimenkuller bulduğunu söylemişti. Yaptığı diğer bir iş de, yabancı pasaport sahibi olmak isteyenlere bunu temin etmekti. Genelde Müttefiklere her anlamda yardımcı oluyordu, hatta isterlerse partiler düzenler, onları bazı hanımefendilerle tanıştırırdı; bu hanımların kimisi savaşta dul kalmıştı, kimisi de yabancı dil bilip karınlarını doyurmak ya da modern olduklarını ispat etmek için taviz vermeye hazır olan kadınlardı.

Birçok başka Türk gibi, Fuad da Avrupalı görünmek için geleneksel fesini atmıştı. Eşi Neriman da her bakımdan Avrupalı bir kadın gibiydi. Dekolte gece elbiseleri giyer, sokağa çıkarken asla peçe takmaz veya çarşafa bürünmezdi. Ali Bedri'ye göre, onların evleri ile Aslı'nın demir bileğiyle idare ettiği kendi evleri arasında dağlar kadar fark vardı. Neriman'a ve salondaki diğer kadınlara bakınca, Leyla da ne kadar ruhsuz kalıyordu!

Avrupai görünüşü, zarafeti ve mükemmel Fransızcasıyla Ali Bedri bu cuma gecelerinin gözde davetlisi oldu. Her nevi içki su gibi akardı, mutlaka dans edilir ve şarkı söylenirdi. Hatta Fuad'ın evinin yakınında bir paten pisti açılınca paten yapmaya dahi gittiler. Müttefik birlikleri de Ali Bedri'ye sempati duyuyordu. Esprilerinin yanında, İstanbul'un çeşitli yerlerini de yıllar önce Bartolome'nin anlattıklarından ezberlediği ince yorumlarla anlatırdı. Ali Bedri yeni dostlarıyla Beyoğlu'nun en gözde gece kulüplerine giderdi. Çoğu zaman başkaları davet ederdi, ama bazen o da ev sahipliği yapmak isterdi. Şampanya kadehleri birbirini izledikçe içi burkulurdu, çünkü maaşı bir haftadan fazla dayanmadığı için gene annesinden para istemek zorunda kalırdı. Fakat bu insanlarla birlikte olmak Ali Bedri için o kadar büyük bir mutluluktu ki, her şeye değiyordu.

Annesini çok sevmesine ve Leyla'ya acımasına rağmen, kendi evinde can sıkıntısından ölüyordu. Halbuki Tatyana'yla birlikteyken her şey harikuladeydi. Ona hayran olan diğer erkekler bile —ki buna utangaç İngiliz subayı Yüzbaşı Rawlings de dahildi— onların ilişkisine bir başka boyut kazandırıyordu. Yüzbaşı Rawlings'in Tatyana'ya ümitsizce âşık olduğunu anlamamak imkânsızdı, çıkık elmacıkkemikli mağrur Rus kızı başka erkeklerle ilgilendikçe ıstırap çektiği belliydi. Daha önce hayatında hiç böyle heyecanlı dönemler yaşamamış olan Ali Bedri, olağandışı koşulların yarattığı bu yeni dünyanın bir parçası olduğuna inanmaya başladı.

Tahir omzuna dokununca gerçeklere döndü.

"Söylesene, Ali Bedri, İstanbul'daki işler nasıl gidiyor? Taşradaki durum gittikçe kötüledi. Bütün Anadolu İngiliz buyruğu altında. Yunan haydutlar masum köylere, kasabalara hücumlar düzenleyip talan ediyor. Bir yandan bizim ordumuz dağıtılırken diğer yandan onlara silah ve cephane verilmiş. Çember gittikçe daralıyor. Büyük bir çöküşe doğru gidiyoruz."

"Bunları bana sen mi söylüyorsun, Tahir? Bizi bu savaşa senin takımın sürükledi, sizin ulu ve kudretli İttihat ve Terakki Cemiyetiniz! Parlak stratejileriniz sayesinde imparatorluğu kaybettik. Elde ettikleri bütün sonuç aşağılanma, keşmekeş ve ziyan. Neredeler şimdi? Sonuçlara katlanacak kadar erkek adam dahi değillermiş, hepsi kaçtı. Şimdi de sen çöküşe sürüklendiğimizi söylüyorsun. Seni anlayamıyorum. Savaşacak neyimiz var? Bazen öyle saf oluyorsun ki anlamakta güçlük çekiyorum."

Doğruydu, vatanın savaşa girmesine onun teşkilatı sebep olmuştu, fakat bundan bir kurtuluş yolu olmalıydı.

"İmparatorluğun tarihi bir medeniyet sürecinden geçmekte olduğunu kabullenmelisin. Savaş olsa da olmasa da, kaybettiğimiz eyaletler nasılsa elden çıkacaktı. Bunu durdurmak mümkün değildi. Başka bir hükümet de iktidarda olsa, sonuç değişmeyecekti. Artık geçmişi düşünmek kadercilik olur. Bundan sonra vatanı düşmandan nasıl kurtaracağımıza bakmalıyız."

"Düşman! Hiç değilse bu Allah'ın cezası memlekete biraz medeniyet getirdiler."

"Ali Bedri, buna nasıl medeniyet dersin? Uyguladıkları sansüre baksana, gazetelerin dörtte üçü boş sayfayla yayımlıyor."

"Haydi canım..."

"Hayır, bırak bitireyim. Müttefiklerin yakında İstanbul'u işgal edeceğini herkes biliyor, o zaman da hiçbirimize nefes aldırmayacaklar."

"Zaten buradalar, biliyorsun."

"Ama hangi sıfatla? Mütareke şartlarına göre galip ordunun temsilcileri olarak geldiler, memleketin başına geçmek için değil."

"Tahir, sen ve ideallerin! Hangi sıfatlaymış, galip orduymuş... Hep büyük laflar. Mektebi Sultani'den beri hiç değişmedin."

"Değiştim, bütün dünya değişti. Bir daha da asla eskisi gibi olmayacak."

"Bütün yabancıları canavar gibi görüyorsun, değil mi? Sana bir sorum var: Hiç onlardan biriyle tanıştın mı?"

"Yüz yüze mi demek istiyorsun?"

"Evet, onu kastettim."

"Çanakkale'de çok gördüm. Herhalde onlar da bizim kadar korku içindeydi. Evet, düşmanı gördüm diyebilirim."

"Pekiyi, onlarla konuştun mu?"

"Hayır. Bak, bir siperden diğerine sohbet etmek pek isabetli olmuyor; her an kafanı uçurabilirler."

Tahir Çanakkale'deki bir günlük ateşkesi hatırladı. Onlar da Türkler gibi ölülerini gömüyorlardı. Aralarında konuştuklarını duymuştu, hatta biri ona gülümsemişti. Ama şimdi bunun konuyla ilgisi yoktu.

"Bir teklifim var. Seni onlardan bazılarıyla tanıştıracağım. Buna ne dersin? Onları yakından tanıma fırsatı bulursun ve düşündüğün kadar kötü olmadıklarını kendin görürsün."

"Bunu nasıl söyleyebilirsin? Onlar bizim düşmanımız, onlara karşı savaştık."

"Belki de bu kadar ağır yaralandığın için bütün olan bitene karşı benden daha hassassın. Fakat onları benim kadar iyi tanımıyorsun. Onlarla sohbet ettim, birlikte içtim, yedim. Bak, şöyle bir teklifim var: Bugün cuma, değil mi?"

"Evet, cuma. Birdenbire kendini dine verdiğini söylemeyeceksin herhalde."

"Hayır, Tahir, öyle değil. Eski okul arkadaşımız Hilmi'yi hatırlıyor musun?"

"Tabii hatırlıyorum. O soytarıyı kim unutabilir ki?"

"Dur, lafımı bölme. Onun şimdi ne tür bir hayat sürdüğünü gör de bak. İnanılır gibi değil. Babası öldükten sonra annesiyle birlikte kız kardeşi ve eniştesi Fuad'ın yanına taşındı. Her cuma akşamı evlerinde muhteşem davetler veriyorlar. Orada birçok İngiliz subayıyla tanıştım, mesela Binbaşı Hubert ve Yüzbaşı Rawlings. Seni oraya götüreyim, ne gibi insanlar olduklarını kendi gözlerinle görürsün."

Tahir iri vücudundan beklenmeyecek bir çeviklikle ayağa fırladı.

"Lütfen ısrar etme, kırk katıra da bağlasan beni öyle bir yere götüremezsin. Bu konuda sana uyamadığım için özür dilerim."

Bu sözler üzerine derhal odayı terk etti. Mermer kurnada çabucak yüzünü yıkadı ve Mısır Çarşısı'ndaki bir kuruyemiş dükkânından işleri yürüten eski arkadaşı İhsan'ı aramak için sokağa çıktı.

Tahir o sabah üçüncü keredir toplarını şehre dikmiş olan Müttefik donanmasını seyretmişti. Sokaklarda da ne kadar çok Müttefik askeri vardı! Ali Bedri'nin teklif ettiği gibi onlarla yiyip içmek bir yana, onları görmek bile hasta ediyordu adamı. Ali Bedri'yi hiç anlamıyordu. Ona bazı gerçekleri tek tek anlatmak lazımdı. Belki de saflığı yüzünden yanlış insanlarla yakınlık kuruyordu. Onu Mösyö Bartolome derdinden kurtardığını düşününce Tahir bir an için mutluluk duydu. Şimdi de Hilmi, Fuad ve İngiliz subaylar ortaya çıkmıştı. Daha neler görecekti acaba?

Mısır Çarşısı'na girince adımları hızlandı, İhsan'ın dükkânına giden birkaç basamağı neredeyse koşarcasına çıktı. Birbirlerine sarıldılar ve görüşemedikleri zaman içinde olanları anlatmaya başladılar.

"Raporlarımın hepsini aldığını ümit ederim."

"En son ocak ayındakini aldık. Tahir, ben ve bütün arkadaşlarım seninle gurur duyuyoruz. Taşradaki köşende harikulade işler yaptın. Keşke herkes senin kadar tetikte olsaydı! Çok sıkı gözetim altındayız. Tek bir yanlış adım atarsak bütün harekât suya düşebilir."

"O kadar mı kötü?"

"Düşünebileceğinden daha beter. Daha geçen hafta hepimiz darağacına gidebilirdik. Önce asıyorlar, sonra sorguluyorlar. Aslında esir düşeceğime ölmeyi tercih ederim. Doğu cephesinde ellerine geçtiğim zamanı bilirsin; Hindistan'a göndermişlerdi, mütarekeye kadar orada esir kaldım. Bir gün hürriyetime kavuşacağımı biliyordum. Nitekim kurtuldum da, ama şimdi de kendi yurdumda hapsolmuş gibiyim."

"Söylesene, geçen hafta ne oldu?"

"Biliyorsun, bu dükkân aslında üzüm sandıklarına saklanmış silah ve cephaneyi sevk etmek için bir paravan. Gemiye sandıkları yüklerken devriye geldi ve sandıklara bakmaya başladı. Neyse ki silahlar ambara götürülmüştü bile; İngiliz çavuş sadece göstermelik sandıkları açtırabildi, dolayısıyla bir şey bulamadı. Gözlendiğimizi biliyorum, iliklerime kadar bunu hissediyorum. Bu yüzden de başka bir yer kiraladık, güya kalıp buz ve kömür satacağız. Bir de tabii Bekirağa'da hapse atılan arkadaşlar var."

"Kuzum bu Bekirağa meselesi de ne?"

"Özür dilerim, bugün geldiğini düşünmeden konuştum. Umarım şahsen keşfetmek zorunda kalmazsın."

"Anlat bana."

"Nerede olduğunu biliyorsun, değil mi? Büyük meydandaki Harbiye Nezareti'nin arkasında. Bütün siyasi mahkûmları oraya koyuyorlar; daracık hücrelerde tek bir demir karyola var, ayağını uzatacak yer dahi bulamazsın. Helaya gidecek olsan dört nöbetçi refakat ediyor. O kadar çok insanı demir parmaklıklar ardına attılar ki! Önce subaylardan, yani cephe komutanlarından başladılar. Sonra sırada İngiliz savaş esirlerine sözde kötü davrananlar geldi, şimdi de Ermenileri kayba uğratanlar. Ne yapmaya çalıştıklarını anlarsın: Hiçbir direniş istemiyorlar."

"Kimlerin hapsedileceğine kim karar veriyor?"

"Hem İngilizler, hem de İttihat ve Terakki'nin bütün kalıntılarını yok etmek isteyen sultanın adamları."

"Yani Türk makamları düşman ne derse onu mu yapıyor?"

"Aynen öyle. İngilizler liste hazırlıyor ve Türklere veriyor, onlar da emredersin komutanım deyip buna göre davranıyor. Bak, Tahir: İngilizlerin mükemmel bir istihbarat teşkilatı var. Eskiden beri vardı. Ben buna her yerde tanık oldum, özellikle de Hindistan'da. İşte bu güçlerinin sayesinde birçok mücadeleyi kazanıyorlar."

"Biliyorum" dedi Tahir, "bana Çanakkale'deki bir olayı hatırlatıyor. Bir istihbarat subayından bahsederlerdi. Bu adam Türk siperlerine kadar sürünerek gelip, askerlerle konuşurmuş. Belli ki Türkçe'yi iyi biliyordu. Onlara İngilizlerin Türklerle değil, Almanlarla savaşta olduğunu anlatırmış ve teslim olurlarsa iyi muamele göreceklerini söylermiş".

"Tam İngilizlere göre."

"Ama buradaki adamların Türkler arasında da işbirlikçileri olmalı."

"Mutlaka. Bizim kaynaklarımıza göre Binbaşı Hubert istihbarat biriminin önde gelen subaylarından ve..."

Tahir araya girdi: "Kim dedin?"

"Binbaşı Hubert. Ne oldu, yoksa onu tanıyor musun?"

"Yok canım, nereden tanıyayım..."

"İç savaş yaşıyoruz. Sultan, sadrazam, vekiller ve kolluk kuvvetleri Binbaşı Hubert gibileriyle el ele vermiş durumda. Tabii bu arada kişisel nefretler de devreye giriyor."

"Pekiyi, Bekirağa'ya koydukları onca insanı ne yapıyorlar?"

"Allah bilir, Tahir. Yalnız Allah bilir. Sahi, Tahir, sen nerede kalıyorsun?"

"Ali Bedri ve ailesinin yanında kalıyorum. Neden sordun?"

"Biliyor musun, böyle cevap vereceğinden korkuyordum. Senin eski arkadaşın olduğunu biliyorum ama çok şey değişti. Ona güvenilmez. En iyi dostları Fuad ve Hilmi, onlar ise para uğruna analarını satarlar. Bu evi derhal terk etmelisin."

"İhsan, biliyor musun Ali Bedri'nin annesini kendi annem gibi sever ve sayarım, o benim neredeyse hayatımı kurtardı. Ali Bedri'ye gelince, zaman zaman tatsız davranışlarda bulunabilir ama içi asla kötü değildir."

"Dur, dur bir dakika, lafımı geri aldım, sen hiçbir yere kıpırdama. Şimdi düşündüm de, Ali Bedri'nin evi senin için mükemmel bir kamuflaj olur. Onun bağrında bir milliyetçiyi barındıracağını kimse düşünemez. Nasıl oldu da bu daha önce aklıma gelmedi? Otur oturduğun yerde."

"Yani orada kalırsam benim hareketin içinde olduğum anlaşılamaz mı demek istiyorsun."

"Tabii ki. Kimin aklına gelirdi ki bu züppenin bize bir gün faydası olur diye. Ama sen gene de dikkatli ol. Çok dikkatli ol."

Tahir konağa dönerken zihninde düşünceler birbirini kovalıyordu. Ali Bedri'yi yakından tanırdı; hain olamayacak kadar tembeldi. Binbaşı İhsan arkadaşına haksızlık ediyordu. Ali Bedri'nin hiçbir zaman savaşmadığı doğruydu, fakat bu onun düşman olduğu anlamına gelmezdi. Hayır, kesinlikle hayır, o sadece şımartılmış bir çocuktu.

Eve döndüğü zaman Aslı'nın oturma odasında yalnız olduğunu görünce sevindi.

"Aslı Teyze, bu fırtınalı günlerde ben de size yük oluyorum..."

Aslı hemen sözünü kesti: "Sen hiçbir zaman yük olmadın. Daha önce de söyledim. Ne pişiriyorsak sen de bizimle paylaşırsın, gerçi senin de gördüğün gibi bu günlerde pek mütevazı olduk."

"Sizinle konuşmak istediğim bir şey daha var. Biliyorum, haddim değil ama, Ali Bedri'nin arkadaşlarını, Hilmi'yi, Fuad'ı ve diğerlerini tanıyor musunuz?"

"Onlarla hiç tanışmadım, lafı nereye getirmek istediğini de anlayamadım."

"Hiçbir şeye. Sahiden bir şey yok. Lütfen unutun gitsin" dedi Tahir, aceleyle yerinden kalkarak.

"Hayır, unutmayacağım. Yoksa oğlum yine başına çorap mı ördü? Söyle bana."

"Sizi gereksiz yere telaşlandırmak istemem ama bugün öğleden sonra bazı eski arkadaşlarla buluştum. Hiçbiri Hilmi'yi tasvip etmiyor, özellikle de eniştesi Fuad pek muteber bir kişi değilmiş. Efendim, korkarım benim sevgili eski arkadaşım düşmana yakın kişilerle dostluk kurmuş."

"Olamaz Tahir böyle bir rezalet. Bunun mümkün olabileceğine sen inanıyor musun?"

"Hilmi'yi Mektebi Sultani'de çocukluğundan beri bilirim, zevzeğin biridir, fakat Fuat denen kişiyi tanımam. Zaten beni endişelendiren Hilmi değil. Bizim arkadaşların dediğine göre Fuad cin gibi biri, Türklere ait olan mallara el koyup gayrimüslimlere ve yabancılara dağıtılmasını kolaylaştırarak, inanılamayacak kadar kısa sürede zengin olmuş. Eğer bu doğruysa korkunç bir şey. Bizim malımızı âleme peşkeş çekiyor demek. Bunu yapabilmek için de yüksek mevkilerde, yani Müttefik kuvvetlerin arasında dostları olmalı, çünkü bugünlerde onların muvafakati olmadan adım atılamaz."

"Ben kadın halimle böyle bir şeyi tasvip etmem. Ali Bedri bilmiyordur olan biteni, yoksa o da tahammül etmez. Ama sana bahsederken duydum, bu anlattığın adamların evinde Müttefik kuvvetlerin subaylarıyla karşılaştığını söyledi, bilse açık açık anlatır mı, hem zaten onlarla ahbaplık eder mi benim oğlum hiç?"

"Ben de öyle dedim ama içimi bir kurt kemiriyor. Bu insanların isimlerini arkadaşlarıma sordum. Onlar istihbarat subaylarıymış. Saygısızlık olarak kabul etmeyin lütfen, ama sanırım bunun anlamını bilmezsiniz. Bunlar açıktan açığa dövüşmezler, gizli bilgiler ve entrikalarla uğraşırlar. Ali Bedri'yi bu çılgınlıktan nasıl kurtarabiliriz?"

"Benim oğlumun bu taraklarda bezi yoktur, inan Tahir. Onun derdi gücü sefahat hayatı. Biliyorsun, bazı geceler Ali Bedri eve gelmiyor. Nihayet evin yolunu bulduğunda nefesi alkol kokuyor, ama sadece bu da değil, parfüm de kokuyor, hep aynı parfüm. Bazen gerçekten çok sarhoş oluyor, merdivenlerden düşecek diye korkuyorum. Bu eve içki girmedi ama Ali Bedri içiyor, ne yapayım, oğlum benim, onu asıl bu bataktan kurtarmak lazım. Sabah kalktığında bembeyaz bir surat! Yakıyor hemen cigarayı, gençliğine yazık, bu vücut ne kadar dayanır ki? Artık kahvaltı bile etmeden, yüzüme bile bakmadan fırlayıp gidiyor. Çok üzülüyorum, neredeyse sadece üst baş değişmeye geliyor eve."

"Ya pekiyi Leyla Hanım?"

"Gözünü seveyim o kadından bana bahsetme! Daha ilk başından onu istemedim, ne yalan söyleyeyim! Ama bu evde gölge gibi yaşarken ona acımaya başlamıştım. Derken ne yapsa beğenirsin? Ortadan kayboluverdi. Öyle bir gün sinsice kaçıp gitti."

"Onu aramadınız mı? Yani belki de başına bir şeyler gelmiştir. Kaçırılmış olabilir, bir kaza geçirebilir..."

"Ne kaçırılması be yavrum! Bütün mahalle onun başını dahi örtmeden koskoca sokağı geçip gittiğini görmüş. Bu kadının bizim aile ve en başta oğlum için ne gibi bir utanç kaynağı olduğunu düşünebiliyor musun? Köprüden geçtiğini görmüşler, kendi cinsinin yanına gitti besbelli. Ali Bedri onunla hiç evlenmemeliydi. Zaten işin başında onda ne bulduğunu bir türlü anlayamamıştım. Artık yerlere yapışıp yalvarsa onu geri almaz. Kocasını ve çocuğunu terk eden kadın geri dönemez. Yedirdik, içirdik, giydirdik, kimse ona kötü muamele etmedi, daha fazla ne istiyordu ki?"

Birden Güzide koşarak odaya geldi.

"Tahir Amca, anlatacak yeni hikâyelerin var mı?"

Konuşmanın son bulduğuna sevinen Tahir keyifle cevap verdi:

"Aaa, tabii, çocuğum, hem eğer istersen birlikte de uydururuz."
Güzide'nin elinden tutup Aslı'dan izin isteyerek bahçeye yöneldi.

* * *

Bartolome kapıdan girdiğinde Rambert odanın içinde bir aşağı, bir yukarı dolanıp duruyordu. Öğretmene selam vermeden pencereye yürüdü, dışarıyı seyretmeye daldı. Bartolome bekledi. Sessizlik sadece birkaç dakika sürdü fakat ona dayanılmaz geldi. "Acil bir durum mu var efendim?" Rambert'in karşısında gene huzursuz olmuştu, ellerinin titremesine engel olamıyordu. Rambert yavaşça döndü ve Bartolome'nin gözlerinin içine baktı:
"İlk defa zor bir durumda kaldığımızda sana kozunu saklamanı söylemiştim. Şimdi zamanı geldi. Bütün marifetini ortaya koy ve Bekirağa'daki tutukluları ne yapmayı planladıklarını öğren."
Görüldüğü gibi tutukluların akıbetini öğrenmek isteyenler sadece Tahir ve İhsan değildi. Fransızlar da bir o kadar merak içindeydi. Bartolome doğrudan Ali Bedri'ye gidip böyle bir soru soramayacağını biliyordu. Ali Bedri saftı ama o kadar da değil. Tesadüfen karşılaşmış gibi bir fırsat yaratmayı düşündü. En iyisi Ali Bedri'nin müdavimi olduğu gece kulüplerinden birine gitmekti.

"Mösyö Bartolome! Bu ne güzel sürpriz, sizi burada göreceğimi dünyada düşünmezdim."
"Senden yaşlı olabilirim, ama bu, arada bir benim de hayattan zevk almama engel değil."
"Tabii ki almalısınız. Haydi gelin, benimle ve arkadaşım Hilmi'yle birlikte oturun. Hilmi'yi hatırlıyorsunuz, değil mi?"
"Nasıl hatırlamam?"
"Mösyö" dedi Hilmi, saygıyla başını eğerek.
"Bir arkadaşın daha vardı, adı Tahir'di galiba. O ne yapıyor?"
"Gayet iyi. Biraz tuhaf oldu, ama gene de iyi."
"Tuhaf demekle neyi kastediyorsun?"
"Çanakkale'de bir gözünü kaybetti, bir kulağı da duymuyor."
"Yaa, üzüldüm" dedi Bartolome, pek de samimi olmayan bir ses tonuyla; sonra devam etti:
"Pekiyi, beyler, söyleyin bakalım, bunca yıldır sizi görmeyeli neler yaptınız? Seninle de epeydir görüşmedik, değil mi, Ali Bedri?"
"Evet, mösyö. Tahmin edeceğiniz gibi ben hâlâ vekâlette çalışıyorum."

"Şimdi, mütareke yapıldığından beri, herhalde işlerin daha fazla önem kazanmıştır, değil mi Ali Bedri?"

Hilmi araya girdi: "Özür dilerim Mösyö Bartolome; Ali Bedri, bazı arkadaşları gördüm, gidip onlara bir merhaba demem lazım."

Hilmi gidince Bartolome iskemlesini Ali Bedri'ye yaklaştırdı.

"Anlat bakalım, sevgili çocuk. Neler oluyor? Çok hareketli zamanlar yaşıyoruz. Bu şehir o kadar kozmopolit oldu ki..."

Sesini alçaltıp devam etti: "Bir sürü insanı hapse atmışlar, biliyorsun. Onları ne yapacaklar?"

Ali Bedri birden Bartolome'ye farklı bir bakışla baktı. Masum gibi görünen bu sorunun arkasında başka şeyler vardı. Acaba Tahir'in etkisinde mi kalmıştı? Bilemiyordu, ama bir his ona eski öğretmeninin gizli bir amacı olduğunu söylüyordu.

"Bilmiyorum, mösyö. Yetkili makamlar karar verir."

"Ama herhalde İngilizlerle yapılan yazışmalar senin elinden geçiyordur, onlar ne düşünüyorlar? Ne de olsa, bu insanları hapse atmak onların fikriydi."

"Bu bilgilerin elimde olduğunu farz etsek bile —ki bu doğru değil— sizinle bunları konuşmam doğru olmazdı, değil mi?"

"Yaa, demek olmazdı? Gülünç olma. O kadar zaman senin tercümelerini yapmadım mı? Şimdi bu da nereden çıktı? Birden yabancı mı olduk?"

"Hayır, öyle değil ama..."

"Ya İngilizlerin ne gibi planları olduğunu benim için öğrenirsin, ya da..."

"Ya da ne, Mösyö Bartolome?"

"Bunu herhalde kendin tahmin edersin. İyi geceler. Arkadaşın Hilmi'ye de selamlarımı söyle."

Ali Bedri donup kaldı. Demek Tahir haklıydı. Onca yıl kurnaz Fransız'a inanmakla ne kadar budalalık etmişti! Karar mercilerinin mahkûmları ne yapmayı düşündüğünü bilmiyordu, İngilizlerle yapılan yazışmaları hiç görmemişti. Bartolome'nin dediğini yapacağından kuşkusu yoktu, mutlaka onu ele verirdi.

* * *

Ali Bedri ve Bartolome boşuna çabalıyordu, İngilizler tutuklular hakkında çoktan karar vermişti. Daha fazla vakit kaybetmeden planlarını uygulamaya geçirdiler. Çabuk hareket etmeleri gerektiğini biliyorlardı, daha fazla kahraman yaratmaya niyetleri yoktu. Tutuklulardan birini asmışlardı, cenazesi ayaklanmaya dönüşmüştü. Yüzbaşı Rawlings cenaze sırasındaki gösterilere tanık olmuş ve amiri Binbaşı Hubert'e rapor etmişti.

"Binbaşı, buna izin veremeyiz. Her asılan adam için onun yerini alacak binlerce asker eğitiliyor. Sürgün planını uygulamalıyız."

"Biliyorsun, Fransızlar asla böyle bir şeye yanaşmaz. İstanbul resmen bizim işgalimiz altında olmadığı için Türk kanunlarına müdahale etmemize karşı çıkıyorlar."

"Prensip olarak haklı olduklarını hepimiz biliyoruz fakat siz de biliyorsunuz ki Türkler yakında Bekirağa yakınında kalabalık bir protesto gösterisi planlıyorlar. Bastille olaylarının tekrarlanmasını istemeyiz, değil mi?"

"Yani onları bir an önce ülkeden çıkarmamız gerektiğini mi söylüyorsun?"

"Evet efendim, aynen öyle."

"Bekirağa'yı nezaret altında tutan İngilizlerin yanında Fransız askerlerinin de olduğunu biliyorsun."

"Bu doğru, efendim, fakat kumanda İngiliz subayının elinde; ayrıca askerlere harekâtın içyüzünü söylemeye de gerek yok."

"Rawlings, sanıyorum bu noktada haklısın. Haydi, hemen başlayalım."

Bu zekice plana uygun olarak Bekirağa'daki siyasi tutuklular kamyonlara doldurulup kendilerini Malta'ya götürecek gemiye nakledildiler. Hem de Fransız ve Türk askerlerinin gözleri önünde! Herkes onların bir Türk mahkemesine götürüldüğünü zannetti, hiç kimse sürgüne gönderilebileceklerini hayal dahi etmedi.

Fransızlar ne olup bittiğini anlayınca iş işten geçmişti, gemi çoktan demir almıştı. Fransızlar ile İngilizler arasında hararetli yazışmalar yapıldı fakat hiçbir şey değişmedi. Fransız kumandan Bartolome'yi çağırıp vaktinde doğru bilgi getiremediği için azarladı. Bartolome'nin hiçbir işi iyi gitmiyordu. Defalarca küçük düşürülmüştü. Kimseye bir şey söylemeden sessiz sedasız İstanbul'dan ayrılmaya karar verdi... Aynen yıllar önce kendi ülkesini terk ettiği gibi.

İşgal

Birkaç gün sonra herkesin korktuğu gerçek oldu ve Müttefik kuvvetler şehri işgal etti. Kaderin cilvesi olarak Tahir'e bu haberi Ali Bedri verdi. O akşam Ali Bedri akşam eve gelmemişti, sabaha karşı merdivenin altından canhıraş bir sesle bağırdığını duydular, önce Tahir arkasından Aslı, derken gözlerini ovuşturarak Cennet, odalarından fırladılar.

Aslı telaşla, "Yangın mı çıktı? Çabuk Güzide'yi kaldırın!" diye bağırmaya başladı, bir taraftan da Güzide'nin odasına koşuyordu.

"Anne, ne yangını, durun, bırakın kız uyusun, yangın mangın yok. Tahir sen de kalktın mı? Ha, iyi. Bakın bakın, dışarı bakın. Sonunda yaptılar! Şimdi sahiden işgal ettiler!" Ali Bedri şok geçirmiş gibiydi. Bu sefer iş ciddiydi, gayet hızlı, sessiz ve etkili biçimde hareket etmişlerdi.

"Siz uyuyun daha! Her tarafa el koydular. Sokakları doldurmuşlar. Sıkıyönetim ilan etmişler. Gümrükler, posta idaresi, telgraf, gazeteler... hepsi artık Müttefik kuvvetlerin denetiminde. Tahir, dur! Nereye? Sokaklar yabancı askerden geçilmiyor. Adım başı hüviyet kontrolü var. Tahir dur, lafın sonunu dinle, eve zar zor geldim. Nereye gidiyorsun? Ben senin yerinde olsam şu anda sokağa bir adım bile atmam. Tahir!"

Tahir kapıya gitmişti bile.

Ali Bedri annesine dönüp anlatmaya devam etti. "Anne, bu Tahir başına yine bir şey açacak. Ben böyle şey görmedim. Dediğim gibi, sokaklara yayılmışlar. Herkesi durduruyorlar, adamlar hüviyeti kontrol ederken sanki kötü bir şey yapmışım gibi ödüm koptu, bir suratıma bakıyor bir elindeki evraka, sonra tekrar suratıma bakıyorlar. O yüzden eve ancak gelebildim."

Aslı Ali Bedri'ye gözlerini dikmiş, bir taraftan aklı bambaşka yerlerde, lafı kaçırmadan dinliyordu, sonra ilk kez konuştu:

"Cennet, dükkânlar açılır açılmaz hemen çarşıya koş, başkaları hücum etmeden ne bulursan al. Hatta açılana kadar kapılarında bekle. Şimdi herkes üşüşür, çoluk çocuk aç kalırız."

"Anne" dedi Ali Bedri, hem annesinin soğukkanlılığını yadırgıyordu hem de hiç yakıştıramamıştı sözlerini. "Anne" diye tekrarladı. "Nasıl hemen yeme içme derdine düşebildiniz, baksanıza neler oluyor, anlamıyor musunuz yoksa?"

Aslı durakladı ve oğluna hiç hitap etmediği bir tonda cevap verdi:

"Maalesef Ali Bedri asıl sen hiçbir şey anlamıyorsun. Anlamadın, anlamamakta ısrar ettin. Ta o kadını evimize getirdiğinden beri, ta Paris'e gittiğinden beri, taa çocukluğundan beri ben sadece seni mutlu etmek için, hayatının eksiksiz olması için çabaladım, ama sen bunlar nasıl oluyor, ne fedakârlıklarla oluyor, bu ev nasıl tepemize borçlarla yıkılmadan duruyor, değirmenin suyu nereden geliyor, merak etmedin. Her şeyi yapmaya mecburmuşum zannettin. O kadını ben istemişim gibi başıma bıraktın gittin. Ele güne ne derim, bir kere düşünmedin. Ben anlıyorum oğlum ama acaba senin kafana ne zaman dank edecek? Onu bilemiyorum maalesef."

Ali Bedri ileri gittiğini anlamıştı ama annesi bir şey söylemesine fırsat vermeden odasına gidip kapıyı da arkasından kapatıvermişti bile. Hareketsiz öylece yerinde kalıverdi.

*   *   *

Bu arada Tahir evden fırlar fırlamaz Binbaşı İhsan'ın Mısır Çarşısı'ndaki dükkânına doğru yola koyulmuştu bile. Ali Bedri haklıydı. İngiliz subaylar ve askerler bütün ana caddeleri kontrol altına almıştı. Yolda üç kez durdurdular. Ali Bedri'nin dediği gibi bir ona bir de hüviyetine insanı rahatsız edercesine uzun uzun bakıyorlardı. Elindeki kimlik belgelerine bakınca, görünüşte onun sadece taşrada görevli bir memur olduğuna hükmediyorlardı.

Dükkâna girince İhsan onu beklemediği bir şekilde karşıladı:

"Efendi, haydi, orada dikilip durma, her müşteriye bütün günümüzü veremeyiz. Ne istiyorsun, üzüm mü, hurma mı?"

Durumun acayipliğini kavrayan Tahir çabucak "Hurma, lütfen" dedi. "Çeyrek okka olsun".

İhsan hurmaları tarttı, paranın üstünü verirken avucuna bir de kâğıt tutuşturdu.

Dükkândan çıkıp meraklı gözlerden uzaklaşınca Tahir kâğıdı okudu. Karanlık basana kadar göze çarpmadan etrafta oyalanmaya çalıştı. Kâğıttaki adrese gidip kendisini Alemdağlı tacir olarak tanıtması isteniyordu. Yazılanları ezberledikten sonra elindeki kâğıdı yırtıp yok etti. Etraftaki her geçeni kendini izliyor gibi hissediyordu. Alemdağlı tacirin ne demek olduğunu anlayamamıştı. İstanbul'un bütün kömür ihtiyacı, yakındaki Alemdağ kasabasından sağlanırdı. Tahir'in huzursuzluğu akşam olana kadar devam etti. Boğazından ne bir lokma, ne de bir yudum su geçti.

Güneş batar batmaz Tahir kimseyi şüphelendirmemek için çarşıdan bir de fener aldı. Epey aradıktan sonra nihayet verilen adrese ulaşınca kepenkleri kapalı küçük bir dükkânla karşılaştı. Kapıya vurdu, içeriden birisi seslendi:

"Kim o?"

"Alemdağlı tacir."

Kapı hemen açıldı ve onu içeri aldılar. İlk bakışta görebildiği kadar odada beş adam vardı, ikisi kocaman bir buz kalıbını parçalamakla meşguldü. Dükkânın her tarafında ağzına kadar doldurulmuş kömür sandıkları dizilmişti. Adamların en genç olanı ona yaklaşmasını işaret etti.

"Siz Çanakkaleli Tahir olmalısınız. Bir gözünüzün kapalı olmasından tahmin ettim. Dobra konuştuğum için kusura bakmayın, bugünlerde tedbirli olmak zorundayız. Binbaşı İhsan sizden ve taşrada yaptıklarınızdan uzun uzun bahsetti."

"İhsan nerede?" diye sordu Tahir.

"Demek bilmiyorsunuz? Tabii, nereden bileceksiniz ki... Bugün öğleden sonra onu dükkândan alıp götürdüler. Gözetlendiğini tahmin ediyorduk, ama bu kadar çabuk gelip alacaklarını beklemiyorduk."

"Gelip almışlar mı? Demek yine tutsak düştü, hem de kendi memleketinde bu sefer. Şimdi anlıyorum neden dükkânda bu kadar garip davrandığını. Ne olduğunu anlayamamıştım. Benim de yakalanmamdan korkmuş belli ki."

"Merak etmeyin, Tahir Bey, İhsan asla konuşmaz. O benim Doğu Cephesi'nde kumandanımdı, ikimiz birlikte savaş esiri olarak tutuklandık. Bu adamın dayanma gücüne hayran olmamak elde değil."

"Fakat herhalde ne durumda olduğunu, nereye götürdüklerini öğrenmenin bir yolu vardır..."

"Tahir Bey, yeraltı faaliyetleri o kadar basit olmuyor. Adı üstünde. Şu anda İhsan'ın akıbetini soruşturup bütün davamızı tehlikeye atamayız. Kendi başının çaresine bakacaktır. Bizim buradaki amacımız Anadolu'daki dava arkadaşlarımıza silah ve cephane temin etmek. Sandıklar Alemdağ'dan buraya kömürle dolu olarak geliyor, dönüşte kömürün yerini silahlar alıyor. Bu çok riskli bir iş, üstelik önümüzdeki günlerde işgal kuvvetleri ve onların yerli destekçileri daha da sıkı denetim yapacaklar. Daha şimdiden milliyetçilerin taşraya geçmesini imkânsız hale getirdiler. Bize gerçekten yardım etmeye hazır mısınız?"

"Tabii hazırım, bütün benliğimle! Hazır olmasam burada ne işim olur ki? Benden ne istenirse yapacağım, bundan emin olabilirsiniz."

"O zaman anlaştık. Şimdi gidin, Tahir Bey, yarın akşam tekrar gelin."

Tahir çıkmak üzereyken genç adam seslendi:

"Dolambaçlı yollardan gidin, takip edilmemeye bakın."

Kömürcü dükkânındaki akşam toplantılarında Tahir durumun vahametini hızla kavradı. İşgalden sonra Müttefikler İstanbul'dan ayrılmayı yasaklamıştı. Her an tetikte duruyorlar, kimseye göz açtırmıyorlardı. Onların denetleyemediğini de sultanın her tarafa sızmış olan casusları yapıyordu. Asi olarak kabul ettikleri milliyetçilere yardım edenlerse idam cezasına çarptırılıyordu. Evlere gece baskınları düzenleniyordu. Herkes kuşku içinde yaşıyor, komşular birbirinden şüpheleniyor, birbirlerini ihbar ediyordu. Kimisi de bu terör ortamını fırsat bilip eski düşmanlıkları sahici düşmanın eliyle cezalandırtmaya çalışıyordu. İnsanların ruhundaki karanlık noktalar su yüzüne çıkmıştı. Kötülüğün cezası yoktu, bilakis ödüllendiriliyordu. İnsanlar sinmişti. Dışarı çıkmaktan, konuşmaktan, birilerine bulaşırlar, yanlış anlaşılırlar diye korkuyorlardı. Ölüm cezasını duyurmak için her yere afişler asılmıştı, kimse de bundan haberi olmadığını öne süremezdi, çünkü afişler hem İngilizce hem Türkçe yazılmıştı.

Kömür dükkânı gizli örgütün kilit noktasıydı. Alemdağ'dan gelen kömür sandıkları boşaltılıyor, yerine Anadolu'ya geçmek isteyen milliyetçiler saklanıyordu; üzerlerine ince bir örtü serilip bir miktar kömür dolduruluyordu. Bunlar kendilerini Asya yakasına taşıyacak küçük teknelere bindiriliyor, Alemdağ üzerinden kırsal kesime geçiyorlardı. Tahir'in görevi bu adamları taşımayı kabul edecek tekneleri bulmaktı. Bu riske girmeyi göze alacak az insan vardı, zira iki kıta arasındaki Boğaz çok sıkı denetim altında tutuluyordu ve tek bir yanlış adım, bütün harekâtı sekteye uğratabilirdi. Bulunabilen teknelerin hepsi küçüktü, ama kaptanların aynı idealleri paylaştığından emin olmaları önemliydi, herhangi birine güvenemezlerdi. Tahir etrafındaki çemberin daraldığını hissediyordu, neyse ki Ali Bedri'nin evi hâlâ onun için iyi bir kamuflajdı. Mahalledeki birçok evi aradıkları halde kimse eski konağa bakmamıştı, Ali Bedri'nin milliyetçilerle bir ilişkisi olamayacağına inanmışlardı.

* * *

Tahir'i eve bağlayan başka bir neden daha vardı: Güzide. Gözünü kırpmadan hikâyelerini dinleyen, küçüklüğünden beri iştahsız olduğu halde Tahir Amca söyleyince yemeğini bitiren Güzide. Küçük kız, babası gibi onu bir kenara itmeyen bu erkekle konuşabiliyordu. Tahir Amca'nın eve erken gelmesi, babaannesiyle ve onunla birlikte sofraya oturması bile onda bir bayram sevinci yaratıyordu. Evde kimse onu Tahir gibi adam yerine koymuyordu. Babaannesi Güzide'yi hâlâ küçük bir çocuk olarak görüp, Cennet'le birlikte neredeyse utanmasa mama yedirip kucaklarında sallamaya kalkacaktı.

Aslında Güzide her çocuk gibi birinin kucağına sığınmak istiyordu ama kimseye o yakınlığı bir türlü duyamıyordu. Mahalledeki çocuklarla oynaması söz konusu dahi değildi. Aslı her zaman: "Aman evladım ne yapacaksın o arsızları, hepsinin burnu akıyor, öksürüp tıksırıp duruyorlar, gözünü seveyim başımıza iş açma, bir de hastalanmaya kalkma, ben seni pamuklar içinde büyüttüm. Sen o hudayinabitlerle bir misin?" diye hevesini kursağında bırakırdı. Annesi ise bütün olan bitene seyirci kalır, yanına gelip teselli bile etmez, pencerenin önüne oturur, her zaman yaptığı gibi boş gözlerle dışarıya bakardı. Artık Leyla'nın asla sözü edilmiyordu, sanki hiç var olmamış, öyle bir insan yeryüzüne gelmemiş gibi. Güzide annesini özleyip özlemediğinden kendi kendine şüpheye düşüyordu. Hiçbir zaman çok yakın olamamışlardı, ne zaman Leyla onu kucağına almaya kalksa hemen Aslı ona bir iş buyurur, aralarında doğacak yakınlığa mani olurdu. Sonunda Leyla da Güzide'ye yaklaşma çabalarından usanmıştı. İşte Güzide annesini ona sahiplenmek için savaş vermediği için affedemiyor, babaannesine ise için için hınçlanıyordu. O nedenle annesini özlemediğine kendini inandırmaya çalışıyordu. Aslı nadiren bile Leyla'nın lafı geçse her seferinde "Lanet kadın, çocuğunu bile terk edip gitti" diye bamteline basıyordu.

Yine koskoca yapayalnız bir günün ümitsizliği içine çöktüğünde Güzide Tahir'in evden çıkmak için hazırlandığını gördü. Hemen koşup, sadece Tahir'le konuşurken benimsediği o sıcacık ifadesiyle:

"Tahir Amca, ne olur beni de götür! Sen gidince oynayacak kimsem kalmıyor" dedi.

Aslı hemen müdahale etti:

"Güzide! Amcanla böyle konuşmamalısın. O senin oyun arkadaşın değil ki. Böyle saçma sözler duymak istemiyorum. Şimdi lütfen odana git, ya da mutfakta Cennet'in ne pişirdiğine bak."

"Lütfen, babaanne! Cennet'i seyretmekten çok sıkıldım, başka bir şeyler yapmak istiyorum."

Tahir bir an düşündü, sonra "Neden olmasın Aslı Teyze" dedi. "Bırakın gelsin benimle. Açık hava iyi gelir, hem iştahı da açılır. Korkmayın elini hiç bırakmam, aldığım gibi küçükhanımı sağ salim teslim ederim size".

"Emin misin, Tahir? Senin başına dert olmasın ha. O şimdi her şeyin önünde saatlerce oyalanır, seni gideceğin yere geç bıraktırır."

İşin gerçeği, Aslı'nın kıymetli torununu kimselere emanet edememesiydi ama Tahir'e karşı çıkamamıştı. "Koskoca adam herhalde gözünden ayırmaz" diye umuyordu. Bugüne kadar Güzide'yi kendi olmadan annesiyle bile sokağa bırakmamıştı. Kırk yılda bir Matmazel Annik'e diktirmek için kumaş almaya giderlerdi. O zaman bile hınzır Güzide toplar arasında kaybolur, yüreğini ağzına getirirdi. En fazla komşulara ziyarete giderlerdi. Onlar üç kere gelseler Aslı ancak bir defa iade-i ziyarete giderdi. Her zaman herkesle mesafeliydi. Evden çıkmadan da Güzide'yi bunaltana kadar tembihlerdi.

"Sakın dizimin dibinden ayrılma. Lafa karışma" derdi. Ona rağmen Güzide "Küçük hanım nasıllar?" dendiğinde babaannesinin, "İyidir efendim, ellerinizden öperler" cevabını beklemeden "İyiyim" diye ortaya atıverirdi kendini. Hele evde bin bir güçlükle ağzına iki lokma soktukları çocuk misafirlikte aç kurt kesilir, Aslı neyi "O yemez efendim" diye geri çevirse Güzide afiyetle yer, eve gelince de babaannesinden "Evde yediğin önünde, yemediğin arkanda, yine bir şey yediremiyoruz, el âlemin içinde ne olduğu belirsiz katır kutur börekleri nasıl yedin?" diye azar işitirdi.

Tahir Amca'yla sokağa çıkmak harika bir şey olacaktı. Neyse ki o da "Kesinlikle bana bir zararı olmaz, benim için de bir değişiklik olur" diye cevap vermişti Aslı'ya. Sonunda Aslı razı olup, "Pekiyi o zaman. Güzide, git mantonu giy. Şanslı günündesin" demekten başka çare bulamadı, bir yandan da "elimizin altında bu büyük bahçe varken neden dışarı çıkmak istediğini de anlamıyorum ya..." diye eklemeden duramadı.

Sokağa çıktıktan kısa süre sonra Tahir o gün yanında Güzide'nin olmasının ne kadar büyük bir şans olduğunu düşündü. Yolda kontrol vardı, herkesi durdurup üstlerini arıyor ve sorguluyorlardı. Tahir'in belgelerine şöyle bir göz atan subay yollarına devam etmelerini işaret etti, büyük ihtimalle onları masum bir yürüyüşe çıkan baba kız zannetmişti. Tahir ucuz kurtulmuştu, eğer üzerinde taşıdığı bazı bilgiler ellerine geçse hayatına mal olabilirdi.

Güzide her zamanki gibi durmadan konuşuyor ve habire sorular soruyordu. Birden aklına bir fikir geldi: Davaları için hayati önem taşıyan bazı bilgileri Güzide vasıtasıyla iletebilir miydi acaba? Kimse bir çocuktan şüphelenmezdi. Fakat hemen bu fikri bir kenara itti, Güzide'yi tehlikeye atamazdı. Allah korusun, herhangi bir terslik olsa kendisine o kadar iyi davranan Ali Bedri'nin ailesine böyle bir kötülük yapamazdı. Böyle bir vicdan azabıyla yaşayamazdı. Ama ne gibi bir terslik olabilirdi ki? Arkadaşlarından birçoğu kendi çocuklarını kurye olarak kullanıyordu. Gerçi Güzide kendi çocuğu değildi, ama ona çok yakınlık duyuyordu. O an içinden gelen bir dürtüyle küçük kıza döndü:

"Güzide, benimle bir oyun oynamak ister misin?"

Güzide'nin gözleri heyecanla parladı:

"Evet, lütfen, Tahir Amca! Evet ama oyunun adı ne? Bildiğim bir oyun mu? Değilse öğretir misin?"

"Dur, dur bir dakika Güzide, ne kadar da sabırsızsın! Nasıl oynayacağımızı sana göstereceğim. Fakat önce, bunun bizim aramızda küçük bir sır olacağına söz vermen lazım. Kimsenin, ama hiç kimsenin, bu oyundan haberi olmamalı, yoksa bir daha oynayamayız. Söz veriyor musun?"

"Tabii ki söz! Şimdi anlat bana. Oynamaya başlayalım. Hemen şimdi."

"Pekiyi. Önce manava gidip patates alacağız, sonra da patatesleri rıhtımdaki kahvede oturan bir beye götüreceğiz."

"O bey çok mu fakir, Tahir Amca? Kendisi patates alamıyor mu?"

"Bu sadece bir oyun, Güzide. Oyun oynamak istediğini sen kendin söyledin. İstemiyorsan, bana göre hava hoş."

"İstiyorum tabii! Lütfen!"

Böylece her gün, görünüşte masum bu oyunu oynamaya başladılar. Hiçbir şeyden habersiz Güzide, o küçük kömürcü dükkânından yürütülen istihbarat harekâtının parçası oldu. Yeterli sayıda güvenilir insan bulmakta zorlanan milliyetçiler arasında habercilik yapan bir sürü çocuktan biriydi artık. Manavdan alışveriş yaptığı zamanlar Tahir onu uzaktan gözetliyordu. Meyvelerin veya sebzelerin birinin altında gizli bir mesaj olurdu. Güzide bunları rıhtımdaki kahvede oturan beye götürür, o da her zaman ona söyleyecek tatlı bir söz bulurdu. Dönüşte Tahir ile Güzide karşı kaldırımlarda yürüyüp birbirlerini tanımıyormuş gibi yapardı, Güzide de bu oyuna bayılırdı.

Her şey yolunda gidiyordu, taa ki o askerle karşılaşıncaya kadar. Tahir küçük kızın birkaç adım gerisindeyken kendi sokaklarının köşesini dönen Güzide aniden koşmaya başladı. Arkasında Senegalli bir asker onu yakalamaya çalışıyordu. Tahir nefesini tuttu, aynı zamanda da onun hayatını tehlikeye attığı için kendinden nefret etti. Güzide'nin uzun örgüsü çözülmüştü, asker ona yetişince saçlarından tutmaya çalıştı. Ama o daha atik davrandı ve bir yandan kaçarken bir yandan da avazı çıktığı kadar bağırıyordu: "Cennet! Babaanne! Kapıyı açın!"

Konağın kapısı aralandı, tam asker ona yetişecekken Güzide içeride kayboldu. Asker bir müddet kapıyı yumrukladı, sonra çaresizlik içinde arkasını döndü. Tahir temkinli bir şekilde yaklaştı. Asker ona baktı ve kendine özgü Fransızcasıyla "Sadece saçlarına dokunmak istemiştim. O kadar sapsarı ve o kadar güzel ki! Ama galiba benden korktu. Kötülük yapmak istemedim. Şimdi de kapıyı kapatınca pelerinim kapıya sıkıştı."

Tahir adama cevap vermeden kapıyı vurdu.

"Aslı Teyze, benim, merak etmeyin. Kapıyı açın."

Aslı kapıyı bir parmak araladı, asker de pelerinini çekip kurtardı. Tahir olaydan sarsılmıştı, hiçbir söz etmeden içeri girdi.

"Tahir Amca, gördün mü? Çok hızlı koştum, değil mi?"

"Evet, çocuğum, evet, çok iyi yaptın."

Aslı Tahir'e uzun uzun baktı, sonra arkasını dönüp yukarı çıktı. Tahir bir dahaki sefere bu kadar şanslı olamayacağını biliyordu. Doğduğu şehirden nefret ediyordu. Kendi korkaklığından nefret ediyordu. Bundan sonra kendi başına hareket etmeliydi. Gerçi bir yerden bir yere gitmek gittikçe güçleşiyordu; devriyeler bütün kavşakları, rıhtımları ve diğer önemli noktaları denetim altında tutuyordu. Ne zaman sokağa çıksa hastalık derecesinde takip edilme korkusuna kapılıyordu. Kimliğini ilelebet saklayamayacağını ve eninde sonunda İhsan'ın akıbetine uğrayacağını hissediyordu.

*　　*　　*

Ali Bedri şampanyayı buz gibi içmeyi severdi. Şu anda kafe şantanın loş locasında yudumladığı kadehin ılık olması tadını bozuyordu. Ama şikâyet edecek kim oluyordu ki? Hesabı o ödemiyordu, topluluktaki geri kalanların gözünde de o sadece hiçbir önemi olmayan eğlenceli bir arkadaştı.

Hilmi'nin eniştesi Fuad, yanındaki İngiliz subaylarıyla kısık sesle konuşuyordu. Endişeliydi, her zamanki halinden farklıydı. Tatyana'nın keyifli kahkahası bile onların ciddiyetini dağıtamadı. Yüzbaşı Rawlings ve Binbaşı Hubert onu milliyetçilerin durumunu değerlendirmesi için sıkıştırıyorlardı.

"Binbaşım, emin olun, endişe edecek bir şey yok. Onlar sadece bir avuç ordu kaçağı ve maceraperest. Bence bu işe yaramaz adamları Malta'ya sürgüne göndermeniz çok isabetli oldu" dedi Fuad.

"Efendim, izin verirseniz..." diye Yüzbaşı Rawlings araya girdi. "İdam cezasını duyuran afişler astık, hem İngilizce hem Türkçe yazdık. Buna rağmen her gün en olmayacak yerlerde silah ve cephane yakalıyoruz."

"Bakın, Yüzbaşı Rawlings, madem bunları yakalıyorsunuz, demek ki bu piçler amaçlarına ulaşamıyorlar."

"Pek öyle değil, efendim, bunlar sadece işin görünen tarafı."

"Adı neydi, hani şu İhsan'a ne oldu? Sanırım Hindistan'da savaş esiri olarak tutuluyordu. Bu adam size herhangi bir bilgi vermedi mi?"

"Hayır efendim, çok çetin cevizmiş. O da diğerleriyle birlikte Malta'ya gönderildi."

Binbaşı Hubert cevap vermedi, Rawlings'e bir şeyler fısıldadı ve ikisi de Ali Bedri'ye baktılar.

"Beyler, beyler, lütfen" diye Fuad araya girdi. "Benim söylediklerime inanın. Ben bu insanları sizden çok daha iyi tanıyorum. Onların ufak tefek başarıları sizin moralinizi asla bozmamalı. Hem, masamızdaki hanımlar ilgi bekliyor. Binbaşım, lütfen eşimi dansa kaldırarak ona şeref verir misiniz?"

Bütün konuşmaları dinleyen Ali Bedri düşüncelere daldı. Tahir'in geceleri sokağa çıkmasının ardında kendininkilerden başka nedenler olduğundan şüpheleniyordu. Yoksa bu masadaki insanların fütursuzca konuştukları işlerle bir ilgisi mi vardı? Emin değildi, zira Tahir onunla ciddi konulardan pek söz etmezdi. Düşüncelere dalmışken baldırında Tatyana'nın ılık okşayışını hissedince kendine geldi.

Aksanlı Fransızcasıyla: "Bu akşam benimle hiç ilgilenmiyorsun. Bana bakmadın bile!" diye fısıldadı. "Herkes giderken sen de onlarla çık, sonra da benim odama gel."

* * *

Ali Bedri Tatyana'nın kapısını hafifçe tıklattı. Kapının aralık olduğunu fark edince itip girdi. Oda karanlıktı, ışığa uzandı. Tatyana yatakta çıplak, yüzüstü yatıyordu. Önce gene cilve yapıyor zannetti fakat kımıldamıyordu.

"Tatyana" diye fısıldadı. "Benim, Ali Bedri".

Belki de onu beklerken uyuyakalmıştı. Oraya gelmeden önce Hilmi'yle birlikte başka bir gece kulübünde vakit öldürmüştü. Yatağa yaklaşınca genç kadının pürüzsüz teninin kıpkırmızı olduğunu dehşetle gördü. Sırtında kamçı izleri vardı. Uyumuyordu, kesinlikle uyanıktı, gözlerini en sevdiği azizin ikonuna dikmişti. Ali Bedri ona dokununca kımıldamadı. Sessizce ağlıyordu. Dudakları da yara içindeydi.

"Tatyana, ne oldu? Anlat bana!"

Ali Bedri onu çevirmeye çalışınca hemen göğüslerini elleriyle örttü. O muhteşem göğsünde de kamçı izleri vardı. Ali Bedri içinde bir öfke dalgasının yükseldiğini, kalbinin sıkıştığını hissetti.

"Kim yaptı, Tatyana? Söyle, kim yaptı?"

Kollarında tuttuğu Tatyana sanki bezden bir bebek gibiydi. Onu sarsmaya çalıştıkça büsbütün içine kapanıyordu. Cevap vermek yerine sadece göğüslerini örtmeye çalışıyordu. Doğrultmak istedi, fakat oturamıyordu. Altından kan geliyordu. Ali Bedri onun tecavüze uğradığını anladı.

"Tatyana, bir tanem, bunu sana kim yaptı? Bana mutlaka söylemelisin. Ona bunu ödeteceğim, onu öldüreceğim!"

Tatyana'nın terk ettiği ülkesinden getirdiği fotoğraflarla ve diğer hatıralarla doldurduğu küçük odasına göz gezdirdi. Bu odada Ali Bedri cenneti tatmış, eşsiz zevkler yaşamıştı.

Birden yerde bir kamçı gördü, hemen uzanıp aldı. Üzerine yaldızlı kabartmayla S.T.R. harfleri işlenmişti. Simon Rawlings. Kamçıyı Tatyana'ya göstermek için kaldırınca Tatyana ellerini yüzüne kapatıp yaralı bir hayvan gibi çığlık attı.

"Hayır, lütfen, vurma bana. Artık dayanamıyorum. Hayır, dur!"

Ali Bedri onu sıkıca tuttu.

"Tatyana, sevgilim, sakin ol. Ben senin canını yakmayacağım. Sakinleş, hayatım. Bunu sana kimin yaptığını öğrenmek istedim. Ben sana hiç zarar verir miyim, sevgilim?"

"Ali Bedri..."

"Söyle, ne oldu?"

Ağlıyordu, başladığı sözü bitiremedi.

"Tatyana, şimdi gitmem gerek. O herif cezasını bulacak, sana söz veriyorum."

Tatyana'nın üzerine bir şal örttü ve başka bir şey söylemesini beklemeden dışarı çıktı. Aşağı katta oturan Madam Sonya'nın odasına koşup onu uyandırdı. Yaşlı kadın ne olup bittiğini tam anlayamadıysa da hemen Tatyana'nın yanına gitti.

Ali Bedri öfkesinden nefes almakta güçlük çekiyordu. Fuad'ı bulması lazımdı. Ne de olsa Yüzbaşı Rawlings onun arkadaşıydı. Namussuzu cezalandırması için mutlaka ona yardım ederdi. Oraya nasıl gittiğini bilmeden kendisini Fuad'ın şık apartmanının önünde buldu, kapıyı hırsla çaldı.

Kapıyı açan hizmetçiye "Fuad Bey'i hemen görmeliyim!" diye bağırdı.

"Ali Bedri Bey, saatin kaç olduğunun farkında mısınız? Onu şimdi uyandıramam. Gece eve çok geç döndüler. Sabah saat 11'den önce uyandırmamam için kesin talimat verdi."

"Kadın, bunun bir ölüm kalım meselesi olduğunu anlamıyor musun? Efendini hemen uyandır!" Onu kenara itip Fuad'ın odasına doğru merdivenleri çıkmaya başladı. Aşağıdaki gürültüden uyanan Fuad, Ali Bedri'yi merdivenin üstünde karşıladı.

"Hayrola, Ali Bedri, neler oldu?"

"Bunu siz söyleyeceksiniz, Fuad Bey. Arkadaşınız Yüzbaşı Rawlings bir canavar."

"Ne? Ne demek istiyorsun? Sakin ol, Ali Bedri. Ne anlatmaya çalışıyorsun?"

"Tatyana! Onu neredeyse öldürecekmiş. Aslında yaptığı öldürmekten beter."

"Ne olmuş? Biraz yavaş ol. Böyle devam edersen hiçbir şey anlamama imkân yok. Bak, ne yaptın! Neriman'ı da uyandırdın."

Kocasının yanına gelen Neriman, geceliğinin üstüne beyaz göğsünü zor kapatan bir sabahlık giymişti. Ali Bedri ona bakınca gözünün önünde Tatyana'nın kanlar içindeki göğsü canlandı.

"Sizinle yalnız konuşsam daha iyi olur, Fuad Bey. Anlatacağım olay bir hanımefendinin önünde tekrarlanacak türden değil."

"Haydi Fuad" diye Neriman ısrar etti, "Bütün bu telaşın sebebini öğrenmeden bir yere gitmem. Sen bana hep 'kedi gibi meraklı' demez misin? Dinleyelim bakalım."

"Anlat, Ali Bedri."

"Madem öyle..." dedi Ali Bedri. "Arkadaşınız Yüzbaşı Rawlings Tatyana'ya tecavüz etmiş ve onu kamçısıyla dövmüş. Odasında kanlar içinde yatıyor."

Neriman heyecanını saklamaya gerek görmeden "Nereden biliyorsunuz?" diye sordu. Ali Bedri bir an durakladı, sonra: "Buraya gelmeden önce ona uğradım" dedi.

Neriman'ın sesi alaycıydı: "Yaa, demek öyle? Anlaşılan, çapkın delikanlı Ali Bedri ortada ne bulursa elini uzatmadan duramıyor."

Fuad Bey "Bizi bunun için mi uyandırdın? Ciddi olamazsın" dedi.

"Onun ne durumda olduğunu gördüm. Neredeyse insanlıktan çıkmış. Lütfen bana yardım edin. Onun cezalandırılması lazım."

"Şaka mı ediyorsun, Ali Bedri? Yoo, galiba söylediklerinde ciddi olacak kadar delirmişsin. Bir orospunun sözlerinin saygıdeğer bir subay karşısında bir değeri mi olacağını sanıyorsun? Ben sana ne düşündüğümü söyleyeyim: Sen gerçekten aklını kaçırmışsın."

Neriman araya girdi: "O mu Rawlings'i şikâyet etti sana?"

"Hayır" diye Ali Bedri duraklayarak cevap verdi. "Fakat adamın kamçısını odada buldum. Bakın, elimde. Bundan daha iyi kanıt olur mu?"

"Bak, Ali Bedri" dedi Fuad. "Sana bir ağabey nasihati. Ben bu dünyanın insanıyım. Onu bu hale senin getirmediğin ne malum? Söylediklerinin doğru olduğunu farz etsek bile, Rawlings'in İngiliz divanıharbinde bir orospu yüzünden cezalandırılacağını sanıyor musun?"

"Bu sokak kadınlarının neyin peşinde olduğunu kim bilebilir?" dedi Neriman. "Kocamın sözlerine inan. Eğer başını derde sokmak istemiyorsan bu meseleyi daha fazla kurcalama. Ayrıca ben onu hiçbir zaman sevemedim. Sahiden de dans ederek geçimini nasıl sağladığına bir türlü inanamadım. Yani, dansı o kadar kötüydü ki... Şimdi ekmek parasını nereden çıkardığı belli oldu."

"Lütfen, Neriman Hanım, Tatyana'ya sokak kadını sıfatını takmaktan vazgeçin. Siz de bir kadınsınız; neler olduğunu bizden daha iyi anlamanız lazım."

"Beni o kadınla aynı sınıfa nasıl koyarsınız? Fuat, lütfen derhal benden özür dilemesini söyle."

"Evet, Ali Bedri, bence de karımdan hemen şu anda özür dilemelisin."

"Hayır, efendim, dilemeyeceğim. Fakat bir bakıma haklısınız, ikisini aynı sınıfa koymamalıydım. Hiç değilse Tatyana ne yapıyorsa zevk aldığı için yapıyordu, karınız ise size daha çok iş imkânı yaratmak için yapıyor."

Bu sözler üzerine merdivenlerden şimşek gibi indi, Fuad'ın arkasından bağırdıklarını duymadı bile.

"Budala piç! Sen benim kim olduğumu biliyor musun? Şu söylediklerin için seni vurduracağım!"

Dışarısı hâlâ karanlıktı. Ali Bedri sokağın ucuna kadar koştu, sonra nefes almak için bir an durdu. Zihninde düşünceler birbirini kovalıyordu.

Araba bulamadı, mecburen Yüzbaşı Rawlings'in evine kadar yürüyerek gitti. Köşeyi dönünce yüzbaşının otomobilinin binanın önünde durduğunu gördü. Arabanın camı açıktı, şoför içinde uyuyordu. Adımlarını sıklaştırdı, şoför onu fark etmeden arabanın yanından geçti. Zile iki kez bastı, kapının hemen açıldığını görünce şaşırdı. İşte o medeniyet sembolü Yüzbaşı Simon Rawlings karşısında duruyordu, üzerinde bornoz vardı, güzel sarı saçlarından sular süzülüyordu.

"Ali Bedri Bey, sizi sabahın bu saatinde buraya hangi rüzgâr attı?"

"Demek kan ve utanç izlerini yıkamaya çalıştınız, öyle mi? Yoo, o kadar çabuk silinmeyecek! Hayır efendim, asla! Bunu nasıl yapabildiniz? Niçin yaptınız?"

"Siz neden söz ediyorsunuz? Galiba bir noktayı unuttunuz. Kim olduğunuzu zannediyorsunuz? Günün bu saatinde buraya gelip beni sorgulama cesaretini nereden buldunuz?"

"Şerefsiz adam, neden bahsettiğimi pekâlâ biliyorsun! Tatyana! Başka kim olabilir ki?"

"Tatyana'ya ne olmuş?"

"Bunu siz daha iyi bileceksiniz. Ne biçim bir hayvansınız? Bu kadar nefretinizi hak etmek için o ne yaptı?"

"Ben şahsen neden bahsettiğinizi anlamıyorum. Lütfen evimden derhal çıkın, yoksa kuvvet kullanmaya mecbur kalacağım."

Ali Bedri paltosunun içine sakladığı kamçıyı çıkarıp Yüzbaşı Rawlings'in suratına fırlattı.

"İşte bundan bahsediyorum."

Yüzbaşı Rawlings'in yüzü bembeyaz oldu. İkisi de holde karşılıklı ayakta duruyordu. Rawlings birden bir hamle yaparak köşedeki yazı masasına koştu ve tabancasını kaptı.

"Defol'" dedi, son derece sakin bir sesle. "Hemen şu anda buradan çık git! Tatyana gibi bir kadının lafını dahi etmeye değmez. Şimdi burayı sükûnetle terk et, yoksa seni bir İngiliz subayına saldırmaktan hapse attırırım, seninle işlerini bitirdikleri zaman da ölmüş olmayı tercih edecek hale gelirsin".

Ali Bedri "Bir de sırıtıyor" diye düşündü; hayatındaki en önemli kişiyi insan kılığından çıkaran bu adam ona sırıtarak bakabiliyordu!

Derken mutfak kapısı açıldı, konuşmadan ve kımıldamadan orada duruyordu. Gözlerini Ali Bedri'ye dikmişti. Ali Bedri "Leyla!" diye fısıldadı, "Leyla, burada ne işin var?"

"Demek ikiniz tanışıyorsunuz? Dünya ne kadar da küçük. Haydi, şimdi hemen git! Hemen, şu anda diyorum!"

Ali Bedri Rawlings'in üzerine atıldı. Hayatında ilk defa birine saldırıyordu. Rawlings hiç beklemediği bu hareket karşısında bocaladı; Ali Bedri'nin o derece şiddetle tepki vereceğini aklına getirmemişti. Halının üzerinde yuvarlanmaya başladılar. Rawlings Ali Bedri'ye ateş etmeye çalışıyordu. Aniden bir silah sesi duyuldu, ikisi birbirlerinin kollarına dolanmış vaziyette hayretle bakıştılar. Derken Rawlings'in eli gevşedi ve geriye düştü. Leyla gözünü kırpmamıştı. Ali Bedri bir yerdeki adama, bir de kendi paltosundaki kanlara baktı. Bir şeyler yapmalıydı. Kamçıyı yakaladı ve bir yandan paltosunu sırtından çıkarmaya uğraşarak aşağıya koştu. Silah sesiyle uyanıp arabadan çıkmaya çalışan şoförün yanından geçip gitti.

Ali Bedri sokağın köşesini dönene kadar normal adımlarla yürümek için kendini zorladı, sonra olanca hızıyla koşmaya başladı. Ona kim yardım edebilirdi ki? Hem koşuyor, hem de başına gelen bu beladan kurtulmanın yolunu düşünüyordu. Mutlaka kendisinden şüpheleneceklerdi. Fuad ve karısına açıkça söylememiş miydi? Ah, yardım edecek birisi olsa! Ama önce eve gidip üstünü değiştirmesi lazımdı. Üstü başı kan içindeydi. Adımlarını daha da hızlandırdı. Beyoğlu'nun dar arka sokaklarından geçti. Yerdeki çöp yığınlarının üzerine kanlı paltoyu bıraktı. Gün doğmasına rağmen güneşin öğle saatlerinde bile tam girmediği bu sokaklar hâlâ loştu. Anacaddenin parke taşlarından nal sesleri geliyordu, fakat caddeye çıkmaya çekindi. Bir genelevden çıkan birkaç sarhoş ona el salladı, o da dikkati çekmemeye çalışarak onları selamladı. Nihayet köprü göründü, fakat hâlâ Haliç'e giren gemilerin geçmesi için açıktı. Telaşla etrafına bakındı, İstanbul tarafına geçecek bir kayık buldu. Karşıya ulaşınca bir arabaya atladı, arabacıya acele etmesini söyledi.

Sırtını dayadı. Ancak o zaman Leyla'yı hatırladı. Rawlings'in evinde ne işi vardı bu kadının? Kendi halkının arasına döndüğünü sanıyordu. Yoksa Rawlings'in metresi mi olmuştu? Bu kadın, gözleri önünde bir adam öldüğünde de tek bir ses çıkartmamıştı.

* * *

Aynı saatlerde Fuad da Yüzbaşı Rawlings'in evine gitmeye hazırlanıyordu. O budala Ali Bedri bir saçmalık yapmadan genç adamı uyarmalıydı. Neriman çok huzursuzdu, Hilmi henüz eve dönmemişti, Allah bilir neredeydi. Böyle uzun gecelerin sonunda genellikle kötü şöhretli evlerden birine gittiğini biliyordu. Bundan sonra Ali Bedri'yle görüşmesine engel olmaya karar verdi. O sırada Fuad'ın aklından ise bambaşka düşünceler geçiyordu. Binbaşı Hubert ve Yüzbaşı Rawlings İstanbul'a geldiğinden beri onlarla işbirliği yapmıştı. Onların sayesinde kısa sürede servet edindiği doğruydu. Buna karşılık o da onlara çok önemli bilgiler sızdırmıştı. Görünüşteki ticari danışmanlık sıfatı aslında o kadar masum değildi. Fuad, milliyetçilere karşı olan işbirlikçi ağından faydalanarak hayati bir istihbarat kaynağı haline gelmişti. Yüzbaşı Rawlings'i gün ışığına çıkaracak herhangi bir girişim, onun da sonu olurdu. Gerçi İngiliz dostlarına güven vermeye çalışıyordu, fakat işlerin ne şekilde seyredeceğini kimse bilemezdi. Eğer milliyetçiler emellerine ulaşırsa her şeyini, hatta hayatını bile kaybedebilirdi. Ali Bedri'nin bir skandal yaratmasını göze alacak durumda değildi. İngilizler de aptaldı, Yüzbaşı Rawlings gibi genç ve deneyimsiz birini göndermenin ne anlamı vardı? Buhran içindeki bir memlekete düzen ve adalet getirmek bir yana, adam kendi duygularına hâkim olmayı becerememişti. Hizmetçiye şoförü uyandırmasını emretti. Yüzbaşı Rawlings'e durumu olabildiğince nazik bir şekilde anlatıp en az mahcubiyetle bu işi bitirmek istiyordu.

Tam apartmandan çıkarken kapıda Hilmi'yle karşılaştı. Akşamdan kalma haline rağmen Hilmi eniştesinin endişeli olduğunu görebildi. "Bir terslik mi var, Fuad?"

"Hilmi, maalesef bence senin yüzünden."

"Neden? Ne oldu?"

"Bizim aramıza ne idüğü belirsiz, değersiz insanları getirdin, bak şimdi bunlardan biri başımıza ne işler açtı."

"Bir dakika, Fuad, kimden bahsediyorsun? Dün gece gözümü kırpmadım, söylediklerinden hiçbir şey anlamıyorum."

"Kim olacak, en iyi arkadaşın Ali Bedri'den."

"Ali Bedri'ye ne olmuş?"

"Ona olan bir şey yok. Ama gün bitmeden başına neler geleceği önemli."

"Bilmece gibi konuşuyorsun, Fuad. Ne yaptı ki?"

"Önce, kendi işlediği bir suçu Yüzbaşı Rawlings'in üzerine atmak istiyor."

"Ne suçu? Ali Bedri asla kanunlara aykırı bir şey yapmaz."

"Tatyana'ya tecavüz etmiş ve dövmüş. Hani biliyorsun, şu Rus dansöz var ya. Şimdi de Yüzbaşı Rawlings'in yaptığını iddia edip işin içinden sıyrılmak istiyor."

"Fuat, bundan emin misin? Bu hiç de onun karakterine uymuyor. Çok iyi kalpli bir insandır. Hatta karısıyla bile zavallı kızın gidecek yeri olmadığı için evlenmişti. Başka hiçbir erkeğin böyle davranabileceğini düşünemiyorum. Sen yapar mıydın, söyle şimdi?"

"Benim ne yapacağımı bir kenara bırak, hem ne zamandan beri ben sana cevap vermek durumundayım?"

"Konu bu değil, Fuad."

"Yaa, evet, tamamen bu. Neriman'la evlendiğim zaman seni ve annesini de çeyizinde getireceğini düşünmemiştim. Tam beleşçiler. Alnının teriyle en son ne zaman çalıştın bakalım, sen söyle bana? Sana kim bakıyor? Beraber olduğun süslü kadınların bile parasını kim veriyor? Şimdi de karşıma geçip sevgili dostun Ali Bedri'nin ne kadar iyi kalpli bir insan olduğunu anlatıyorsun. Bak, şurada ant içiyorum, Ali Bedri böyle bir yalan daha uyduracak kadar uzun yaşamayacak. Ağzını ebediyen kapatacağım. Sana gelince, ya kendi işlerinle meşgul olursun ya da ihtiyar cadıyı da alıp bu evden def olursun."

Hilmi cevap verecek durumda değildi. Hâlâ tam ayılmasa da, büyük bir felaket olduğunu idrak edebiliyordu. Eniştesinin niyeti ciddiydi. Gerçeği öğrenmenin tek yolu Ali Bedri'yi bulmaktı. Vakit kaybetmemek için kılığını dahi değiştirmeden dışarı çıktı, neyse ki hemen bir araba buldu.

Fuad koşarak Rawlings'in dairesine girdiğinde Leyla hâlâ mutfak kapısında dikilmiş, ölü adama boş bakışlarla bakıyordu.

"Orospu çocuğu! Öldürmüş onu!" diye Fuad haykırdı.

Rawlings'in şoförü, "Silah sesini duyduktan hemen sonra bir adamın binadan çıktığını gördüm. Ama önce ne olup bittiğini anlamak için buraya geldim. Tekrar dışarı çıktığımda adam ortalıkta yoktu" dedi.

"Başka ne olabilirdi ki, Çavuş? Sizi bekleyeceğini mi umuyordunuz?"

"Fakat efendim, buradaki bu hanım! Belli ki her şey onun gözleri önünde olmuş. Bize adamı tarif edebilmeli."

"Kimin yaptığını biliyorum. Gene de ona ihtiyacımız olacak. Yolda giderken onu konuştururuz. Bizimle gelin."

Fuad Leyla'yı kapıya doğru sürükledi. O ana kadar sesini çıkartmamış olan Leyla aniden geri döndü:

"Beni nereye götürüyorsunuz?"

"Sizi katilin evine götüreceğim. Siz bizim başlıca görgü şahidimizsiniz."

"Ben bir şey görmedim."

"Haydi, yapmayın. Şok geçirmiş olduğunuzu biliyorum. Büyük bir soğukkanlılıkla bir cinayet işlendi. Ama korkmayın, size zarar veremeyecek. Onu hemen yakalayacağız ve it gibi işini bitireceğiz."

İt gibi! Bu kadarı fazlaydı! Kocası yüzbaşıyı kıskançlıktan öldürmüştü. Üstelik bütün bu zaman içinde Leyla onun kendisini sevmediğine inanmıştı. Halbuki kocası onu her yerde aramış, nihayet bulunca da dayanamamıştı. Hepsi Leyla'nın suçuydu. Evden asla kaçmamalıydı. Herhalde Rawlings'e kaçtığını düşünmüştü. Fakat onlar bir tesadüf eseri buluşmuşlardı. Hem o sadece evde bir kâhya kadındı. Ama acaba buna inanacak mıydı? Onun şerefini korumak için cinayet işleyen bir erkek onu acaba hiç affedebilir ve evine geri kabul edebilir miydi?

"Haydi, hanım, bütün gün bekleyecek vaktimiz yok. Çok uzağa gitmiş olamaz."

Hepsi birlikte aşağı indiler. Fuad tam arabanın kapısını açarken Leyla bir hamle yapıp olanca gücüyle koşmaya başladı. Fakat Çavuş Riley daha hızlıydı, ona yetişti. Arkasından yakalayıp ayaklarını yerden kesti.

"Neyin var, kadın? Resmi dairelerden korkmanı gerektirecek bir durumun mu var? Vatandaşlık görevin gereği, bu araştırmada bize yardımcı olmak zorundasın. O adamı yakalayacağız, ölü ya da diri! Aslına bakarsan, yakaladığımızda ölmüş olması onun hayrına olur!"

Ali Bedri başından geçenlerden sonra kalan gücüyle evinin kapısını yumrukladı; her zamanki gibi gene anahtarı yanına almamıştı. Gürültüden herkes uyandı. Yüzündeki ifadeyi gören Tahir hemen bir terslik olduğunu sezdi:

"Mutfağa gidelim, Ali Bedri. Her ne olduysa, bunu aramızda konuşalım."

Ali Bedri sesini çıkartmadan onu takip etti, kapının yanındaki iskemlelerden birine çöktü. Mutfağa girmeyeli kim bilir kaç yıl geçmişti! Hatırlayamadığı kadar çok...

"Sakinleş şimdi. Ne oldu?"

Ali Bedri yeşil gözlerini kocaman açarak ona boş bakışlarla baktı. Konuşamadı.

"Belli ki çok kötü bir şeyler olmuş. Bana anlatmalısın, belki bir çare bulabilirim."

"Öldürdüm onu. Eminim, öldürdüm. Allah biliyor ya, öldürmeyi istemiştim önce. Fakat tuhaf olan, sonunda bunu istemeden yaptım."

"Bir insanı öldürdün demek. Doğru mu duydum? Sahiden sen birini mi öldürdün?"

"Tahir, ben biraz önce Yüzbaşı Simon Rawlings'i öldürdüm."

"Aman Allahım! Bir iş yapınca, tam yapıyorsun!"

"Ne yaptığımın farkında değildim, bir kaza oldu, ama bana inanırlar mı ki?"

"Kimse seni gördü mü?"

"Evet, Leyla."

"Hangi Leyla, karını mı kastediyorsun?"

"Evet karım."

"Peki Rawlings'in yanında ne işi varmış onun?"

Ali Bedri cevap veremeden kapının hızla vurulduğunu duydular.

"Git kilerde saklan. Her kim geldiyse, ben onları oyalamaya çalışacağım."

Tahir evdekilerin hepsini kapıdan uzaklaştırdı ve soran olursa Ali Bedri'yi görmediklerini söylemelerini tembih etti.

Esner gibi yaparak kapıyı açtığında karşısında Hilmi'yi buldu.

"Hayrola, Hilmi? Beni rüyanda mı gördün? Sabah sabah hayrola? Herhalde Ali Bedri'yi arıyorsundur ama o henüz dönmedi. Ben de kapı çalındığında o sanmıştım."

"Onun başı fena halde dertte. Eniştem Yüzbaşı Rawlings'in evine gidiyor. Ali Bedri'nin bir Rus dansöze, Tatyana'ya tecavüz ettiğini söyledi. Üstelik onu perişan edecek derecede dövmüş, şimdi de suçu Rawlings'e atmak istiyormuş. Bir şeyler yapmamız lazım. Ali Bedri'nin asla böyle bir şey yapabileceğini düşünemiyorum, gene de onu dikkatli olması için uyarmak zorundayız."

"Bütün bunları sana eniştten mi söyledi?"

"Evet, ayrıca Ali Bedri'yi pişman edeceğini de ekledi. Niyeti ciddi. İnan bana, Fuad çok acımasız olabilir."

"Bu uyarılarından dolayı Ali Bedri'nin sana minnettar olacağından eminim. Gelir gelmez ona anlatırım. Gerisini bana bırak ve endişe etme. Şimdi evine git ve hiçbir şey olmamış gibi davran, kimseye de buraya geldiğini söyleme. Yoksa senin de başın derde girer."

Hilmi kendisini bekleyen arabaya binip uzaklaştı.

"Ali Bedri, kaybedecek vaktimiz yok. Hemen gidelim. Hilmi'nin söylediğine göre eniştesi Rawlings'in evine gidiyormuş. Şu sıralarda oraya varmıştır bile. Arabayla ne kadar sürer?"

"Tahir, kaçmanın anlamı yok. Onun otomobili var, bizi yakalar."

"O zaman daha da hızlı hareket etmeliyiz. Aslı Teyze, bize yeldirmelerinizden birer tane getirir misiniz? Lütfen çabuk!"

Onlar elbiselerini çıkartana kadar Aslı elinde kadın kıyafetleriyle geri gelmişti bile. Bir yandan bu alışık olmadıkları giysileri giymeye çalışırken, bir yandan da Tahir kadınlara talimat veriyordu: Her an birileri gelip onları sorgulayacaktı, ne cevap vermeleri gerektiğini anlattı.

Kadın kılığındaki Tahir ve Ali Bedri sokağın köşesine ulaştığında, Fuad'ı, iki İngiliz askerini ve bir kadını getiren otomobil de gösterişli konağın önünde sert bir fren yapıp durdu.

Kaçış

"Hızlı yürü ama normal görünmeye çalış, Ali Bedri."

"Bu kılıkta nasıl yapayım? Hem biz nereye gidiyoruz? Hiçbir anlamı yok, beni nasılsa yakalarlar, sana da bulaştırırlar, herifler seni de bu çukura sürüklerler."

"Ali Bedri, bu olay başımıza gelmese de benim başım zaten dertteydi. Bizim memlekette senin kendi hayatın dışında da bazı gelişmeler olduğunu artık anla. Her şey, herkes çok değişti. Mektebi Sultani'deki gamsız günlerimiz geri kaldı."

Ali Bedri hiçbir cevap veremedi.

* * *

Aslı, Güzide'yi odasına göndermişti. Kapı vurulunca Cennet'e açmasını söyledi. Fuad kadını arabada, şoförün gözetiminde bıraktı; tanık olacak kadının davranışları bir tuhaftı. İki adam geniş mermer hole koşar adımlarla girdiler. Hiçbir açıklama yapmaya gerek görmemişlerdi. Aslı onlara buz gibi gözlerle baktı:

"Beyler, evime böyle teklifsizce daldığınıza göre aceleniz olsa gerek."

Aslı merdivenin üst sahanlığında, her zamanki eve hâkim konumunda durmuştu. Başında omuzlarına kadar inen beyaz ipek bir başörtüsü vardı.

İlk önce Fuad konuştu:

"Hanımefendi, nezaket kelimeleriyle geçirecek vaktimiz yok. Bir katili arıyoruz."

"Katil mi? Yanlış yere geldiniz beyler. Burası Canip Bey'in evi; burada katil bulunmaz."

"Ali Bedri oğlunuz değil mi?"

"Evet, Allah ömür versin, tabii ki benim oğlum. Söyleyin, ona bir şey mi oldu? Lütfen, beyler! Sakın kötü haber getirmiş olmayın? Ne oldu? Yaralandı mı?"

"O bir İngiliz subayını öldürdü. Şimdi, izninizle, evi arayacağız."

"Böyle bir şey yapamazsınız, beyefendi. Ben yaşadığım sürece buna izin veremem. Benim oğlum bir sineği bile öldüremez."

Fuad İngiliz askeriyle bir şeyler konuştu. Bir odaya girdi, yanında Güzide'yle geri çıktı.

"Torunumdan ne istiyorsunuz?"

"Çocukla işimiz yok, ama bize oğlunuzun nerede olduğunu söyleyin. Hemen, şimdi!"

"Nerede olduğunu nasıl bileyim? Gece eve gelmedi. Söylediklerinize bakılırsa, ona bir şey olmasından korkuyorum."

"Ya bize söylersiniz, ya da zor kullanmak zorunda kalırız. Şimdi iyi dinleyin, hanımefendi: Oğlunuzu bu sabah gördünüz mü?"

"Hayır" diye haykırdı Aslı. "Allah şahidimdir." Bir yandan da Allah'ın kendisine kızmaması için dua ediyordu.

"Ya bu kadın?" diye devam etti Fuad, Cennet'e dönerek, "Ali Bedri'yi bu sabah gördün mü?"

Cennet önce Aslı'ya baktı; Aslı binlerce yıllık Roma heykeli gibi ifadesiz duruyordu.

"Hayır" dedi, "Onu bu sabah hiç görmedim".

Fuat yeşil gözlerini ona dikmiş duran kıza döndü. Başka bir çehredeki aynı gözler birkaç saat önce ona bakmıştı. Fuat içinden yükselen öfkeyi bastırmaya çalıştı.

"Şimdi" diye söze başladı, "Elinde kocaman tabanca olan bu askeri görüyorsun, değil mi?"

Yabancılarla kolay kolay konuşmayan Güzide "Evet" diye fısıldadı.

"Pekiyi, yalan söyleyen küçük kızlara ne yaptığını biliyor musun? Onlara ateş eder!"

Aslı dudaklarını ısırıp kendini kontrol etmeye çalışıyordu.

"O zaman söyle, bu sabah babanı gördün mü?"

Güzide "Hayır, efendim" diye cevap verdi.

Aslı'ya sanki herkes onun rahatlamış nefesini duymuş gibi geldi.

Fuad askere dönüp bu cevabı tekrarladı.

"Lanet olsun! Bu namussuz herif hangi cehenneme gitti?"

"Benim oğlum namussuz değildir. Şimdi artık bizi rahat bırakın."

Aslı o derece kararlı konuşmuştu ki söylediklerini anlamayan

İngiliz asker bile kapıya yöneldi. Fuad da arkasından giderken bir an durup geri döndü: "Her şeyi gören bir şahidimiz var. Şimdi buna ne diyeceksiniz bakalım?" Şoföre seslendi: "Kadını getirin!"

Şoför Leyla'yı mermer hole öyle kuvvetle itti ki, Leyla bileğini burktu.

"Anne!" Güzide'nin sesi bütün evde yankılandı. Koşarak geldi, kollarını Leyla'ya doladı. Leyla da hiçbir söz söylemeden ona sarıldı. Sessizce ağlıyor, yüzünden gözyaşları süzülüyordu.

Fuad "Bu da ne demek?" diye bağırdı. "Bu kadın onun annesi mi?"

Nihayet Leyla konuştu. Gözlerini Aslı'ya dikmişti: "Evet, ben annesiyim."

"Şimdi anlıyorum, meğer kocanı korumak istemişsin."

"Kocam yüzbaşıyı öldürmedi, o bir katil değil."

"Yaa, demek öyle. Kadın, sen beni aptal yerine mi koyuyorsun? Bize yeterince vakit kaybettirdin. Biriniz kadını ve evi gözaltında tutsun. Namussuz herif Anadolu'ya geçerse onu asla yakalayamayız."

Sonra kadınlara döndü: "Sizlere gelince, sizinle işim daha bitmedi. Hiç şüpheniz olmasın, tekrar karşılaşacağız."

Kapıyı çarparak çıktı.

Aslı bir müddet kıpırdayamadı. Güzide bu sefer onun boynuna sarıldı.

"Babaanne, neden babamı arıyorlar?"

"Bilmiyoruz, güzelim, neden aradıklarını bilmiyoruz."

"Babam ile Tahir Amca hiç geri gelmeyecekler mi?"

"Tabii ki gelecekler, Güzide, geldikleri zaman da..." Aslı bir an durakladı, "eminim çok acıkmış olacaklardır. Şimdi babanın en sevdiği reçelden yapalım. Cennet daha dün çarşıdan kayısı aldı. Henüz mevsimi değil, yumuşamaları için iyice kaynatmamız lazım. Biraz acele et, Güzide! Sen de öyle, Leyla."

Leyla'nın gözlerinde tebessüme benzer bir ifade parladı, hemen Cennet'e o da bir emir verdi:

"Cennet, bana da büyükhanımınki gibi bir önlük ver. Şimdi söyledi, ben de onlara yardım edebilecekmişim."

* * *

Tahir son derece çaresiz görünen Ali Bedri'ye baktı. Ali Bedri'nin ona anlattıklarından sonra içi rahatlamıştı, onun işbirlikçi olduğundan duyduğu kuşkular kaybolmuştu.

"Eninde sonunda beni nasılsa yakalayacaklardı. Bak, ben iki yönden suçluyum: İttihat ve Terakki'nin faal bir üyesiydim, şimdi de milliyetçiler adına çalışıyorum. Yoksa bunu anlamamış mıydın?"

"Bazı şeylerden şüpheleniyordum, ama emin olamadım."

"Doğrusunu istersen, milliyetçi arkadaşlarım arasında pek de iyi bir şöhretin yok. Senin işbirlikçi olduğunu, ya da en azından onlara yakınlık duyduğunu düşünüyorlar. Görünüşte de böyle düşünmeleri için epey sebep var."

"Herhalde haklısındır. Vazgeç, beni bırak Tahir. Sadece senin işini zorlaştırırım."

"Sus bakalım, zaten başımızı bir kere derde soktuk. Artık olgunlaş, Allah aşkına! Çok önemli bir adamı öldürdün. Başka bir zaman olsa, belki ihtiras cinayeti diye işin içinden kurtulurdun. Ama şimdi durum farklı. Kocakarı gibi dırdırı bırak da, kendinle gurur duy ve buna göre davran."

Kömür dükkânına gelmişlerdi, sessizce içeri süzüldüler. O kıyafetler neredeyse başlarına dert olacaktı, Tahir'in arkadaşları onu tanımadılar:

"Hanımlar, ne istiyorsunuz?"

"Ahmed, benim, Tahir. Acelemiz var. Hava kararır kararmaz İstanbul'dan uzaklaşmak zorundayız."

"Ama, Tahir, buraya gündüz vakti hiç gelmeyecektin, biliyorsun."

"Bu acil bir durum."

"Yanındaki de kim?"

"Boş ver şimdi, bizden biri."

"Tahir, o zaman Valide Sultan Camii'nin arka kapısının yanındaki hücre evine gidin. Arkadaşlarımızdan birinin annesinindir orası. Alışıktır kadıncağız. Kapıyı çalınca 'Kapalıçarşı'ya nasıl gidilir?' diye sorun."

"Haydi, Ali Bedri, gidelim!"

Bir arabaya atladılar, yolun sonuna yaklaşınca arabadan inip yürüdüler. Ali Bedri Tahir'i uykuda gibi takip etti. Bütün bu oyundan yorulmuştu. O anda yakalayıp götürseler umurunda bile değildi. Ama tabii Tahir'e bu düşüncelerinden söz etmedi. Tahir de o kılığıyla pek gülünç duruyordu!

Sonunda verilen adrese geldiler. Kapıya vurduktan sonra Tahir parolayı söyledi.

"Hanımefendi, böyle aniden sizi rahatsız ettiğimiz için bizi affedin. Önce şu kılıktan kurtulalım, sonra size ne için geldiğimizi anlatırız."

"İçeri girin, çocuklar. İnşallah sizi kimse takip etmemiştir. Neden kaçtığınızı bilmiyorum, ama herhalde çok önemli olmalı çünkü ilk defa gün ortasında birilerini gönderiyorlar."

Kadın sokağa bir göz attıktan sonra endişe edecek bir şey olmadığına karar verdi. Ali Bedri şaşırmıştı. Annesinden daha yaşlı görünen bu kadın, milliyetçilerin istihbarat ağının bir parçasıydı demek. Tabii kendi kızının da bilmeden onlara yardım ettiğinden haberi yoktu.

Birden kapı vuruldu. Tedbir olarak yaşlı kadın onları sokağa açılan başka bir kapısı olan bir odaya götürdü.

"Birkaç dakika içinde geri gelmezsem evi hemen terk edin ve rıhtımdaki ikinci kahveye gidin" dedi.

Ali Bedri "Tahir" diye söze başlayacak oldu, Tahir hemen eliyle onun ağzını kapattı.

Yaşlı kadın birkaç dakikalık süre dolmadan geri döndü.

"Her şey yolunda, çocuklar, şimdi çıkabilirsiniz. Dostumuz Ahmed gelmiş."

"Tahir, seninle yalnız konuşmalıyım."

Tahir, Ahmed'le birlikte biraz önce Ali Bedri'yle saklandıkları odaya girdi.

"Tahir, bunu nasıl yaparsın? Bu haini aramıza nasıl getirirsin?"

"Sen neden bahsediyorsun?"

"Dükkândan ayrıldığınız sırada onu tanıdım. Ali Bedri, değil mi?"

"Bir hüküm vermeden önce dinle: o Yüzbaşı Rawlings'i öldürdü."

"Ne! Yüzbaşı Rawlings'i mi?"

"Doğru."

"Neden bunu baştan söylemedin?"

"Fırsat bıraktınız mı ki?"

"Allahım, vaziyet tahmin ettiğimden de kötüymüş. Şu anda bütün İngiliz ordusu sizi arıyordur. Çabuk, hemen gidelim!"

"Teyze, geçen hafta buraya bıraktığım evrakı ve kıyafetleri getir."

Yaşlı kadın çabucak geri geldi; bir elinde belgeleri tutuyordu, diğer kolunda da iki erkeğin giyeceği kıyafetleri vardı. Kuruyemiş satıcısı kılığına gireceklerdi. Ali Bedri yeni kıyafetini giyerken gülmeye başladı. Gözünün önüne Fuad'ın evindeki bir kıyafet balosunda Tatyana'nın ona giydirdiği Rus asilzadesi kılığı geldi. Tatyana nasıldı acaba? Yanında onu koruyacak Ali Bedri olmadan ona neler yaparlardı kim bilir? Aslında Ali Bedri o güne kadar onun için hiçbir şey yapmamıştı. Her zamanki gibi sadece almayı bilmiş, karşılığında hiçbir şey vermemişti. Halbuki, annesini saymazsa, hayatında gerçek anlamda sevdiği tek kadın oydu.

"Çabuk ol, Ali Bedri, bütün gün oyalanacak halimiz yok!"

"Sadece düşünüyordum."

"Merak etme, dostum" dedi Ahmed, "Anadolu'ya geçince düşünecek çok bol vaktin olacak, tabii geçebilirsen. Bu arada şunu söylemeliyim, yaptığın iş çok cesurca. Doğrusunu istersen, hayatı boyunca kendi dünyasında yaşamış birinden bunu beklemediğimi itiraf etmeliyim".

Ali Bedri'nin sesi çıkmadı, Ahmed devam etti:

"Uzun zamandır mı planlıyordun?"

Tahir onun yerine cevap verdi:

"Önemli olan planlama değil, sonuç. Haydi gidelim."

Üçü de yaşlı kadının elini öptü ve selametle gitmeleri için dua etmesini söylediler. Evden ayrı ayrı çıktılar.

Birbirlerine baktıkları zaman kendilerini gülünç buluyorlardı, ama kıyafetleri başkalarının gözünde son derece inandırıcıydı. Kıyafetin bütün ayrıntıları yerindeydi, külahlarıyla, kırmızı kuşaklarıyla tam da seyyar leblebicilere benzemişlerdi. Evden çıktıktan sonra Ahmed hiç konuşmadı. Bir yandan yürürken, bir yandan da leblebi isteyecek kimseye rastlamamak için içlerinden dua ediyorlardı. Rıhtıma ulaşınca Tahir yılların verdiği tecrübeyle etrafta sivil giyinmiş polislerin dolaştığını fark etti. İngiliz askerler tercüman aracılığıyla herkesin belgelerini kontrol ediyorlardı. Tahir, Ali Bedri'yi bilet gişesine götürdü. Karadenizli şivesini taklit ederek Üsküdar'a iki bilet istedi. Kimseyi kuşkulandırmamak için paranın üstünü dikkatle saydı, sonra birlikte vapura yürüdüler. Günün bu saatinde küçük teknelerle karşıya geçmek daha çok dikkat çekerdi. Öğle vakti, bu kadar çok vapur seferi varken, aklı başında hiç kimse kayık kiralamazdı, hele günlük kazançları bu paranın altında olan iki seyyar leblebicinin kayık tutması düşünülemezdi. İngiliz askerin önüne geldiklerinde, Ali Bedri, nasıl olup da bir an için, yeter ki bu ıstıraptan kurtulsa diye yakalanmayı isteyebildiğine şaştı. Şimdi dudaklarının titrediğini hissediyordu.

"Kâğıtlar!" dedi asker, yüzündeki bezginlik ifadesini gizlemeye uğraşmadan. Tercüman onun sözlerini çevirene kadar askere bakıp durdular, basit insanların İngilizce bilmesi tuhaf olurdu.

"Ne bakıp duruyorsunuz, aptal adamlar? Bu bey kâğıtlarınızı görmek istiyor."

"Öyle söylese ya" dedi Tahir.

"Haydi, çabuk olun."

"Evet, efendim, evet, efendim. İşte burada." Tercüman onlara şöyle bir baktı, sonra devam etmelerini söyledi.

Vapura binince kapıya olabildiğince yakın bir yere oturdular. Ali Bedri Tahir'in bütün hareketlerini dikkatle takip ediyordu. Gösterişli, ukala, eğitimli, çapkın Ali Bedri, annesinden ilk defa adım atmayı öğrenen çocuk gibiydi. Sevdiği ama daha önce hayranlık duymadığı Tahir, onun gözünde birdenbire bambaşka bir nitelik kazanmıştı. Kriz anında ne yapılacağını biliyordu. Şık bir salonda yabancılık çekeceği doğruydu, ama şu anki durumda bütün maharetini gösteriyordu. Ne tuhaf, bütün hayatları o kadar farklı geçmişti, şimdi ise hedefleri aynıydı: Yakalanmamak. Vapur rıhtıma çarparak yanaşınca ayağa kalktılar. Tahir hiç acele etmiyor, aksine etrafındaki insanları aptal bir bakışla seyrediyordu. Ali Bedri de onun gibi yaptı. Üsküdar çarşısından geçtiler ve kalabalığa karıştılar. Derken birisinin sesiyle irkildiler:

"Hey, sen! Deminden beri sesleniyorum, sağır mısın ulan? Leblebiler taze mi?"

Tehlike neredeyse geçti diye düşünürken gafil avlanmışlardı.

"Affedin" dedi Tahir, "Sizi duymadık. Bakın, çok az malımız kaldı. Şimdi tazelerini almaya gidiyorduk".

"Siz bilirsiniz" dedi adam ve yanındaki arkadaşına döndü: "Malını satmak istemeyen bir satıcıyla da ilk defa karşılaşıyorum. Allah bilir daha neler göreceğiz."

"Zaman öyle bir zaman" diye cevap verdi arkadaşı. "Bakarsın yüzmek istemeyen balıklar veya uçmak istemeyen kuşlar da görürüz".

Konuşmanın devamını dinlemekle vakit kaybetmeden dar bir yola sapıp çarşıyı arkalarında bıraktılar. Biraz ileride yol dikleşti. Yolun her iki kenarında fıstık çamları dikiliydi. On beş dakika kadar yürüdükten sonra büyük bir eve geldiler. Bahçe kapısından girerken pencerelerdeki dantel perdelerin kımıldadığını gördüler. On yaşlarında güzel bir kız çocuğu, onlar daha zili çalmadan kapıyı açtı.

Küçük kız "Babamın eski hastalarından mısınız?" diye sordu.

Tahir cevap verdi: "Hayır. Biz onun mucizeler yarattığını duyduk. İlk defa geliyoruz."

Taşlığı evin diğer bölümlerinden ayıran kadife perdenin arkasından bir ses duyuldu:

"Demek sıra sana geldi, Tahir."

Perde hızla kenara çekildi, iki erkek birbirlerine sarıldılar. Yaşlı adam bordo renkli perdelerle uyumlu, kadife bir robdöşambr giymişti. Altmış yaşlarını epey geride bırakmış görünüyordu ama gençken çok kalp yaktığı belli oluyordu.

"Baba, bu beyler bu akşam bizimle kalacak mı?"

"Belli olmaz, çocuğum. Haydi git, annene misafirlerimize içecek bir şeyler getirmesini söyle."

Ali Bedri'ye dönüp özür diledi:

"Sizi gerektiği gibi karşılayamadığım için beni affedin, ama Tahir'in sesini duyunca çok şaşırdım. Demek en iyi eylemcilerimizden biri gitmek zorunda. Halbuki burada ne kadar başarılıydın. Senin peşinde olduklarını nasıl öğrendin?"

Ali Bedri, Tahir'e baktı ve konuşmak için sessizce ondan izin istedi. Yüzbaşı Rawlings'i öldürdüğünden beri ilk defa mantıklı konuşabiliyordu. Bütün olanları sanki başka birisinin başına gelmiş gibi sakin bir şekilde anlattı.

"İşte böyle, efendim. Tahir'in Anadolu'ya vaktinden önce geçmesine ben sebep oldum."

Küçük kız elinde limonata bardaklarıyla geldi.

"Buyurun, babacığım."

"Teşekkür ederim, tatlım. Şimdi annene git."

"Herhalde tahmin etmişsinizdir, Ali Bedri Bey, o aslında benim torunum. Babası Libya savaşında öldü, o günden beri bana baba diyor. Tahir'le de o zaman tanışmıştık. Bizim Tahir hep çok cesurdu. Kömür dükkânı ile benim evim arasında kurduğumuz kaçış yolundan kimleri kimleri gönderdi bir bilseniz. Gene de onu bu kadar erken beklemiyordum. Kusura bakmayın, Ali Bedri Bey, ben yaşlı bir adamım ve bazen söylediklerimi tekrarlıyorum."

"Gene aynı yolu mu kullanacağız, Doktor Bey?"

"Neden olmasın? Ben sizi kendi arabamla Alemdağ'a götürürüm. Eğer yolda durdurulursak, hastamı ve yakınını ameliyathaneme götürdüğümü söylerim."

Tahir ve Doktor Mehmed bütün öğleden sonra konuşup durdular, sanki dünyayı ve dışarıdaki tehlikeyi unutmuşlardı. Sonunda Ali Bedri yorgunluğa yenik düştü, gözlerini açık tutamıyordu.

Dr. Mehmed'in hafifçe omzunu dürtmesiyle uyandı. Uyumuş muydu, yoksa gözleri açık rüya mı görmüştü, bilemiyordu. Yıllar önce Paris'te, saray bahçesinde gördüğüne benzeyen bir labirentin içindeydi. Çıkmak için çaresizce çırpınıyordu. Ne tarafa koşsa Tatyana'nın kamçı izleri içindeki çıplak vücudunu görüyordu. Derken Tatyana'nın yerini Leyla'nın suçlayan gözlerle bakan yüzü aldı. Birileri onu kovalıyordu ama nedense arkasına dönüp kim olduğuna bakamıyordu. Nefeslerini ensesinde duyuyor fakat onları göremiyordu. O anda omzundaki eli hissetti.

"Dinlenebildiğini ümit ederim, oğlum" dedi Dr. Mehmed.

Tahir de gelip söze katıldı:

"Koltukta uyuyakaldın, seni rahat bıraktık. Ama şimdi gitmeliyiz. Henüz karanlıkken çıkmamız daha iyi olur. Merak etme, duruma daha uygun bir kıyafet giyeceğiz. Arazinin ortasında külahlarımızla leblebici gibi durureak kimse bize inanmaz. Şimdi çiftçi olacağız, basit iki köylü. Haydi, bunları giy, çabuk ol."

Ali Bedri ayaklarını sürüyerek kalktı. Gördüğü rüyadan sonra daha da yorgun düşmüştü. Tatyana'ya, Leyla'ya, hatta annesine ve kızına dertten başka bir şey vermemişti. Tahir'in bu kadar enerji dolu olmasına şaştı.

Giyinip arabaya bindiler. Dr. Mehmed de onların yanına oturdu. Sadık arabacısı, aynı zamanda kâhyası, atları sürdü. Dışarısı kapkaranlıktı. Yolu kestirmek için ne ay, ne yıldızlar vardı. Tahir bunun daha iyi olduğunu düşündü. İki saat boyunca herhangi bir şey olmadan gittiler. Ali Bedri birkaç dakika uyuklamışken arabanın aniden duruşuyla irkildi.

Arabacı "İngiliz devriye" dedi. "Dört kişiler; iki Türk polisi, başlarında da iki İngiliz askeri."

Dr. Mehmed fısıltıyla konuştu: "Siz, Ali Bedri, uyurmuş gibi yapın. Ben onları oyalayacağım."

İngiliz asker "Kâğıtlar!" dedi. Türklerin yardımıyla kâğıtları inceledi ve bir şeyler sordu. Dr. Mehmed cevapladı. İngiliz çavuş yüzlerine baktı, sonra:

"İyi şanslar, doktor, hastanız çabuk iyileşir umarım" dedi.

Onlara mı öyle geldi, yoksa sahiden mi adam bunu alaycı bir sesle söylemişti? Emin olamadılar.

"Onları kandırabildiğimizi sanmıyorum, Doktor Mehmed. En iyisi siz bizi biraz ileride bırakın. Bu isabetli bir aldatmaca olur, bize de biraz vakit kazandırır. Takviye kuvvet almaya gittiğinden eminim. Mutlaka bizim eşgalimizi biliyorlardır."

"Fakat Tahir, gideceğimiz yerin ne kadar uzakta olduğunu bilmiyorsun galiba. Sizi buralarda bırakıp gidemem."

"Bırakmak zorundasınız. Hem nasılsa ormanlık bölgeye geldik. Eğer gün doğmadan Alemdağ'a ulaşırsak mesele kalmaz. Haydi gel, Ali Bedri."

Ali Bedri sesini çıkartmadan Tahir'i izledi. Ağaçlık alana doğru koşmaya başladılar. Epey koştuktan sonra birden Tahir konuşunca durdular:

"Onları duyuyor musun?"

"Ben hiçbir şey duyamıyorum, Tahir."

"Durma, Ali Bedri. Hem koşup hem dinleyebilirsin. İki cip sesi duyuyorum. Dr. Mehmed'i yakalamaları an meselesi. Acele etmemiz lazım. Onlar buraya varmadan derenin karşı yakasına geçebilirsek kurtulma şansımız olur."

"Ben yüzme bilmiyorum, Tahir."

"Ben de bilmiyorum, ama bu riski göze almalıyız."

"Tahir, galiba bir silah sesi duydum."

"Ben de. Onu tahmin ettiğimden daha önce yakaladılar. Suyun kokusunu duyuyorum."

"Tahir, tut beni! Kayıyorum!"

"Korkma, çok derin olmamalı. Allahım, buz gibi soğuk!"

"Yarısını geçtik mi? Fenerlerini görüyorum. Ayy, daha derinleşiyor."

"Birkaç adım daha attık mı karşı kıyıdayız."

"Yaklaşıyorlar."

Askerler onları görmüştü. Ateş etmeye başladılar fakat Ali Bedri ile Tahir öbür kıyıya yaklaşmıştı bile.

"Acele et! Galiba başardık. Tahir, acele et dedim!"

"Sen git, Ali Bedri. Ben yaralandım galiba."

"Ne!"

"Evet, sen yoluna devam et. Doğu istikametine gidersen kurtulursun."

"Sen delirmişsin! Kendi başıma nasıl giderim? Yürümene yardım edeceğim."

"Ben seni yavaşlatırım. Sen gitmene bak."

"Madem öyle istiyorsun, ben de pes ediyorum. Seninle birlikte onların gelmesini bekleyeceğim."

"Ali Bedri, büyü artık. Bir kere olsun kendi başına bir iş yap."

Ali Bedri konuşmadı. Çaresizlikten gelen bir kuvvetle kendisinden daha ağır olan Tahir'i kucakladı. Şanslarını beraber deneyeceklerdi. Ya ikisi de kurtulacak, ya ikisi de ölecekti.

Güneşin titrek ışınları yaşlı çam ağaçlarının arasından görünmeye başlamıştı.

Ayşe Çolakoğlu
mart 2007